1001

citas y frases ingeniosas sobre

EL SER HUMANO Y LA VIDA

1001

citas y frases ingeniosas sobre

EL SER HUMANO Y LA VIDA

GREGORIO DOVAL

nowtilus

Colección: Citas célebres
www.nowtilus.com

Título: 1001 citas y frases ingeniosas sobre el Ser Humano y la Vida
Autor: Gregorio Doval

Doña Juana I de Castilla 44, 3° C, 28027 Madrid
www.nowtilus.com

Editor: Santos Rodríguez
Coordinador editorial: José Luis Torres Vitolas

Diseño y realización de cubiertas: Carlos Peydró
Maquetación: JLTV

ISBN-13: 978-84-9763-421-2
Fecha de edición: Febrero 2008

Printed in Spain
Imprime: GRAFO
Depósito legal: BI-9-08

Índice

El Ser Humano

Un extraño animal

Muchos seres humanos dicen que les gusta el invierno, pero lo que realmente les gusta es sentirse protegidos contra él.

Richard Adams (1920),
escritor británico.

El Hombre no tiene prejuicios. No le importa de qué color son sus esclavos.

Chester Anderson.

Habría que añadir dos derechos a la lista de derechos del hombre: el derecho al desorden y el derecho a marcharse.

Charles Baudelaire (1821-1867),
poeta francés.

¡Viva los hombres honrados! Son menos canallas que los demás.

Henri F. Becque (1837-1899),
periodista y dramaturgo francés.

El diluvio universal fue un fracaso: quedó una familia viva.

Henri F. Becque (1837-1899).

Es muy difícil decir si el hombre nace malo o si se vuelve así enseguida.

Henri F. Becque (1837-1899).

En una palabra: para parecer un hombre honrado lo que hace falta es serlo.

Nicholas de Boileau (1636-1711), poeta, gramático y crítico francés.

Tengo la impresión de que el intento de la naturaleza de crear en este mundo un ser pensante ha fracasado.

Max Born (1882-1970), físico alemán afincado en Inglaterra.

Somos hombres de hormiguero en un mundo de hormigueros.

Ray Bradbury (1920), novelista de ciencia-ficción estadounidense.

Un hombre debe tener por lo menos dos vicios. Uno solo es demasiado.

Bertolt Brecht (1898-1956), poeta y dramaturgo alemán.

La culpa la tiene solo el tiempo. Todos los hombres se tornan buenos, pero ¡tan despacio!

Robert Browning (1812-1889), poeta y dramaturgo inglés.

Señor, no sigas produciendo gigantes. Eleva la raza.

Robert Browning (1812-1889).

Todos los que quieren ser algo son enemigos implacables de los que son alguien.

Esteban Calle Iturrino (1892),
escritor español.

La humanidad me gusta cada día más.

Un caníbal.

Algunos hay que parecen zurdos de las dos manos.

Alejandro Casona (1903-1965),
dramaturgo español.

En lo que tienen de común es en lo que los hombres más se diferencian.

Blaise Cendrars (1887-1961),
escritor francés.

Cada uno es como Dios le hizo, y aun peor muchas veces.

Miguel de Cervantes (1547-1616),
escritor español.

En las cosas grandes, los hombres se muestran como les conviene; en las pequeñas, se muestran tal como son.

Nicholas Chamfort (1741-1794),
escritor francés.

La inutilidad del primer diluvio es lo único que impide que se nos envíe otro.

Nicholas Chamfort (1741-1794), escritor francés.

Cada uno tiene su carácter, aunque no lo ejerza.

Noel Clarasó (1905-1985), escritor español.

El hombre es un despistado que se dirige al sur y luego se sorprende de no llegar al norte.

Noel Clarasó (1905-1985).

El que pega primero pega dos veces, si pega bien; si ha pegado mal se expone a deslucir el refrán.

Noel Clarasó (1905-1985).

El carácter es como el aliento: para que uno se dé cuenta es necesario que sea malo.

Colsalvático.

Ciertas gentes dan su palabra y no la mantienen, pero ¿cómo queréis que la tengan si la han dado?

Pierre Dac (1896-1975), escritor francés.

Es más difícil ser un héroe para un criado que para un biógrafo.

John W. Dafoe (1866-1944), escritor canadiense.

Los hombres serían siempre malos, si ser buenos no les diera mejor resultado.

León Daudí (1905-1985), escritor español.

Muchos creen que la confesión de sus defectos les dispensa de corregirlos.

Marie von Ebner-Eschenbach (1830-1916), escritora austriaca, natural de Moravia.

Ruega por nosotros, ahora y en la hora de nuestro nacimiento.

Thomas Stearns Eliot (1888-1965), poeta y ensayista estadounidense, afincado en Inglaterra.

El hombre es un alma pequeñita que lleva a cuestas un cadáver muy pesado para sus fuerzas.

Epicteto de Frigia (50-135), filósofo estoico romano, natural de Grecia.

Los hombres son criaturas muy raras: la mitad censura lo que practica; la otra mitad, practica lo que censura; el resto siempre dice y hace lo que debe.

Benjamin Franklin (1706-1790), político y científico estadounidense.

El hombre es el más misterioso y el más desconcertante de los objetos descubiertos por la ciencia.

Ángel Ganivet (1865-1898), escritor, periodista y diplomático español.

No hay gente inútil, solo hay gente perjudicial.

Máximo Gorki (1869-1936), novelista ruso.

Cada siglo merman un dedo los hombres.

Baltasar Gracián (1601-1658),
jesuita y escritor español.

Hay algo que es más escaso, más raro que la habilidad. Es la habilidad de reconocer la habilidad.

Robert Half.

Hay personas que solo se lavan cuando ven a los otros sucios.

Christian Friedrich Hebbel (1813-1863),
escritor alemán.

Me dan pena los que se sienten desnudos si no llevan una medalla colgada al pecho.

Gustav Heinemann (1899-1976), político alemán.

Algunos hombres nacen mediocres, otros logran la mediocridad y a otros la mediocridad les viene encima.

Joseph Heller (1923),
novelista estadounidense.

Las personas cambian y generalmente se olvidan de comunicar dicho cambio a los demás.

Lilian Hellman (1905-1984),
escritora estadounidense.

Lo mismo por lo que se refiere a los hombres que a las demás cosas, no es el vendedor sino el comprador el que determina el precio.

Thomas Hobbes (1588-1679), filósofo inglés.

Nueve de cada diez veces, lo primero que sabemos de los defectos de un compañero son sus disculpas.

Oliver Wendell Holmes (1809-1894),
escritor estadounidense.

El hombre es la obra maestra de la creación. ¿Pero quién lo dice? El hombre.

Elbert Hubbard (1856-1915),
periodista y escritor satírico estadounidense.

El hombre respira, aspira y expira.

Victor Hugo (1802-1885), escritor francés.

No hay ni malas hierbas ni hombres malos. Solo hay malos cultivadores.

Victor Hugo (1802-1885).

Los que al hombre definían: ente que sabe reír, mejor pudieran decir: digno de que de él se rían.

Juan de Iriarte (1702-1771),
latinista, bibliotecario y escritor español.

Los hombres son como las bombas: cuando menos lo esperas te explotan.

Enrique Jardiel Poncela (1901-1952),
escritor español.

Todos los hombres somos iguales; pero lo que no son iguales son sus influencias.

Kalikatres (La Codorniz)

Toda persona tiene tres caracteres: el que exhibe, el que tiene y el que cree que tiene.

Alphonse Karr (1808-1890),
novelista francés.

Cuando el deber llama, se multiplican los sordos.

Gustav Knuth

El diablo es optimista si cree que puede hacer peores a los hombres.

Karl Kraus (1874-1936),
escritor y filósofo austriaco.

Los hombres son como las estatuas: hay que verlas en su sitio.

François de La Rochefoucauld (1613-1680),
escritor moralista francés.

Si en los hombres no aparece el lado ridículo, es que no lo hemos buscado bien.

François de La Rochefoucauld (1613-1680).

Se dice que hubo antropófagos: lo sé, pero eso no debió durar mucho; debieron morir envenenados.

H. F. Robert de Lamennais (1782-1854),
escritor religioso francés.

El carácter no se quiebra, pero se estira.

Stanislaw Jerzy Lec (1909-1966),
escritor polaco.

Muchos que quisieron traer luz fueron colgados de un farol.

Stanislaw Jerzy Lec (1909-1966).

Preveo la desaparición del canibalismo. El hombre está asqueado del hombre.

Stanislaw Jerzy Lec (1909-1966).

Hay dos ofensas que ningún humano puede encajar: la afirmación de que no tiene sentido del humor y la afirmación doblemente impertinente de que nunca ha tenido problemas.

Sinclair Lewis (1885-1951), novelista estadounidense.

A veces hay gente que es sorda hasta que les cortan las orejas.

Georg C. Lichtenberg (1742-1799), escritor y científico alemán.

El Señor prefiere a la gente corriente, por eso ha hecho tanta.

Abraham Lincoln (1809-1865), estadista estadounidense.

Ten muy presente que los hombres, hagas lo que hagas, siempre serán los mismos.

Marco Aurelio Antonino (121-180), emperador y filósofo romano.

Solo hay una forma de saber si un hombre es honesto: preguntárselo. Si responde sí, ya sabemos que está corrupto.

Groucho Marx (1895-1977),
actor, humorista y escritor estadounidense.

Cada generación se sonríe de los padres, se ríe de los abuelos y admira a los bisabuelos.

William Somerset Maugham (1874-1965),
escritor inglés, nacido en Francia.

La conciencia es una suegra cuya visita jamás termina.

Henry-Louis Mencken (1880-1956),
escritor y editor estadounidense.

Cada hombre vale por lo que puede vender.

Arthur Miller (1915-1980),
dramaturgo estadounidense.

El hombre, un ejemplo de la sin par paciencia de la naturaleza.

Christian Morgenstern (1871-1914),
escritor alemán.

Decir que un hombre está compuesto por ciertos elementos químicos es una descripción satisfactoria solamente para aquellos que intentan usarlo como fertilizante.

Herbert J. Muller (1905),
escritor estadounidense.

Los hombres son como los números, que no adquieren valor sino por la posición que ocupan.

Napoleón Bonaparte (1769-1821),
emperador francés.

El hombre, desde que nace hasta que muere, es una máquina de romper juguetes.

Amado Nervo (1870-1919),
escritor mexicano.

¿El hombre? Un depósito de microbios atravesado, de vez en cuando, por un rayo de ideal.

Jules Normand (1848-1920),
escritor francés.

La causa de los problemas no fue la manzana del árbol, sino la pareja que estaba debajo.

M. D. O'Connor

El hombre es la única criatura que consume sin producir.

George Orwell (1903-1950),
escritor inglés, nacido en la India.

Por lo general, los seres humanos quieren ser buenos, pero no demasiado buenos, y no todo el tiempo.

George Orwell (1903-1950).

¿Hasta dónde no llegará el arte? Hay incluso quien aprende a llorar con gracia.

Publio Ovidio (43 a. de C.-17), poeta romano.

Hay muchas cosas que funcionan mejor que el hombre: por ejemplo, el abrelatas.

Prof. Pepeard (La Codorniz).

El hombre es un paquete postal que la comadrona expide al sepulturero.

E. Petrolini.

Ser hombre es ya por sí mismo una circunstancia atenuante.

Pitigrilli [Dino Segre] (1893-1975), escritor italiano.

Cualquier punto de vista acaba volviéndose incómodo si se queda uno siempre en él.

Alfred Polgar.

Con tal que se tenga la pocilga, se encontrarán los cerdos.

Alexander Pushkin (1799-1837), escritor ruso.

Hay personas insobornables. Son aquellas de las que no depende nada.

Dusan Radovic.

Una persona con carácter no tienen buen carácter.

Jules Renard (1864-1910), escritor francés.

Cuando un hombre se cae y los otros no ríen, mala señal para el que ha caído.

Santiago Rusiñol (1861-1931), pintor y escritor español.

La variedad de las pretensiones no tienen fin. Hasta existe quien tiene la pretensión de no tenerlas.

Santiago Rusiñol (1861-1931).

Cuando las gentes son libres de hacer lo que les plazca suelen imitarse unos a otros.

Françoise Sagan (1935), novelista francesa.

Medio víctima, medio cómplice, como todo el mundo.

Jean Paul Sartre (1905-1980),
escritor y filósofo francés.

El hombre es esencialmente un paquete de ganglios.

Ramón J. Sender (1902-1982), escritor español.

A algunos se les considera grandes porque también se cuenta el pedestal.

Lucio Anneo Séneca (2 a. de C.-65),
filósofo romano, natural de Córdoba.

Te diré una cosa para que juzgues nuestras costumbres: apenas encontrarás uno que pueda vivir con la puerta abierta.

Lucio Anneo Séneca (2 a.C.-65 d.C.).

¿Es usted un hombre honrado o un granuja? Hombre, mitad y mitad, como todo el mundo.

George Bernard Shaw (1856-1950),
escritor irlandés.

No ser de lo peor que hay es casi estar al nivel del elogio.

William Shakespeare (1564-1616),
dramaturgo inglés.

Todos viven de vender algo.

Robert Louis Stevenson (1850-1894),
escritor escocés.

La integridad es hacer lo correcto aunque nadie nos esté mirando.

Jim Stovall.

El hombre es una inteligencia contrariada por unos órganos.

Maurice Talleyrand-Perigord (1754-1838),
político francés.

Adán deseó la manzana solo porque estaba prohibida; el error fue no prohibirle la serpiente, porque entonces se la habría comido.

Mark Twain (1835-1910),
escritor y periodista estadounidense.

Adán fue el único hombre que cuando decía algo bueno, sabía que nadie lo había dicho antes que él.

Mark Twain (1835-1910).

Así es la raza humana. A veces da pena que Noé no perdiera el barco.

Mark Twain (1835-1910).

Cada hombre es una luna, con una cara escondida que no le muestra a nadie.

Mark Twain (1835-1910).

El 28 de diciembre nos recuerda lo que somos durante los otros 364 días del año.

Mark Twain (1835-1910).

El hombre es la criatura que Dios hizo al final de una semana de trabajo, cuando ya estaba cansado.

Mark Twain (1835-1910).

El hombre es un experimento; el tiempo demostrará si valía la pena.

Mark Twain (1835-1910).

Vivimos en unos tiempos en que a uno le gustaría ahorcar a toda la raza humana y poner término a la farsa.

Mark Twain (1835-1910).

Arribistas: Gente que pone a otros a tirar de su carro.

Gerhard Uhlenbruck

Cada cual es como le hacen, y cada uno con su cada una.

Miguel de Unamuno (1864-1936).

El que es diestro en el siniestro es en el derecho zurdo, pues no hay nada más absurdo que este pobre mundo nuestro.

Miguel de Unamuno (1864-1936).

El hombre es solamente hombre en la superficie. Le quitamos su piel, disecada, e inmediatamente se llega a la maquinaria.

Paul Valéry (1871-1945), poeta francés.

Si viera usted mi alma, no podría comer.

Paul Valéry (1871-1945).

El hombre es como un fósforo: si no tiene cabeza, ¿para qué sirve?

Ventura de la Vega (1807-1865), poeta español.

He dicho que soy realmente cosmopolita: soy infeliz en todas partes.

Stephen Vizinczey (1933),
novelista húngaro, afincado en Inglaterra.

A veces pienso que la prueba más fehaciente de que existe vida inteligente en el universo es que nadie ha intentado contactar con nosotros.

Bill Watterson, humorista y
dibujante de cómics estadounidense.

A veces pienso que Dios creando al hombre sobreestimó un poco su habilidad.

Oscar Wilde (1854-1900),
escritor irlandés.

El hombre puede creer en lo imposible, pero no creerá nunca en lo improbable.

Oscar Wilde (1854-1900).

La gente tiene una cosa en común: son todos diferentes.

Robert Zend.

¿Adónde no se descenderá para subir?

Anónima.

Dicen que todos los hombres nacemos iguales. Lo que no se dice es a quién.

Anónima.

Incorruptible: Dícese de quien exige precios demasiado altos.

Anónima.

La historia humana menciona un solo hombre indispensable: Adán.

Anónima.

Si de verdad hay seres de otros mundos observándonos, ¿por qué no les oímos reírse de nosotros?

Anónima.

El hombre en la escala zoológica

Dicen que el hombre desciende del mono. ¡También son ganas de incordiar al mono!

Ardanuy (La Codorniz).

El hombre: un milímetro por encima del mono cuando no un centímetro por debajo del cerdo.

Pío Baroja (1872-1956),
escritor español.

Dos cosas me admiran: la inteligencia de las bestias y la bestialidad de los hombres.

Tristan Bernard (1866-1947),
periodista y escritor humorístico francés.

Todo animal deja huellas de lo que fue; solo el hombre deja huellas de lo que creó.

Jacob Bronowski (1908-1974),
científico británico.

Como perros que riñen por un hueso, y cuando no lo tienen, juegan juntos.

Samuel Butler (1612-1680), escritor inglés.

Darwin: el hombre que calumnió a los monos.

Calandrino.

El hombre no es más que un omnívoro que viste pantalones.

Thomas Carlyle (1795-1881),
historiador, crítico y pensador social escocés.

Los monos son superiores a los hombres en esto: cuando un mono se mira en un espejo, ve a un mono.

Malcolm de Chazal (1902),
escritor de Isla Mauricio.

Es precisamente al considerar al hombre como un animal cuando nos damos cuenta de que no es un animal como los demás.

Gilbert Keith Chesterton (1874-1936),
escritor inglés.

El hombre no solo procede del mono, sino que va acercándose a él.

Salvador Dalí (1904-1988),
pintor español.

El hombre darwiniano, incluso a su mejor nivel y en el mejor de los casos, no es más que un mono afeitado.

William Schwenk Gilbert (1836-1911),
dramaturgo y libretista inglés.

Había una pobre serpiente que coleccionaba todas sus pieles. Era el hombre.

Jean Giraudoux (1882-1944),
escritor francés.

El hombre es un semimono con tendencias técnicas.

Ernst Heinrich Haeckel (1834-1919),
filósofo y biólogo alemán.

El hombre es un animal de poco escarmiento.

Mariano José de Larra (1809-1839),
periodista y escritor español.

El más ruidoso de todos los gallos.

Percy Wyndham Lewis (1884-1957),
artista británico.

La prueba de que el hombre es la más noble de todas las criaturas es que ninguna otra criatura lo ha negado jamás.

Georg C. Lichtenberg (1742-1799),
escritor y científico alemán.

Creo que he encontrado el eslabón perdido entre el animal y el hombre civilizado. Somos nosotros.

Konrad Lorenz (1903-1989),
psicólogo y etólogo austriaco.

Los monos son demasiado buenos para que el hombre pueda descender de ellos.

Friedrich Nietzsche (1844-1900),
filósofo alemán.

El hombre es el más inteligente de los animales... según dice él.

Jules Normand (1848-1920), escritor francés.

Cuanto más hablo con los hombres más admiro a mi perro.

Blaise Pascal (1623-1662),
científico, filósofo y escritor francés.

El hombre es un animal bípedo sin plumas.

Platón (427-347 a. de C.), filósofo griego.

Todo hombre lleva una bestia dentro. Algunos más que una bestia tienen un auténtico zoo.

Jesús Quintero, locutor de radio y presentador de televisión español.

El hombre, ese mono desnaturalizado...

Jean Rostand (1893-1977), biólogo y moralista francés.

El hombre, cuando es animal, es peor que el animal.

Rabindranath Tagore (1861-1941), filósofo y escritor hindú.

No es el mono ni el tigre del interior del hombre lo que temo; es el asno.

William Temple (1628-1699), político y escritor inglés.

Creo que nuestro Padre Celestial inventó al hombre porque estaba decepcionado del mono.

Mark Twain (1835-1910), escritor y periodista estadounidense.

El hombre es el único animal que come sin tener hambre, bebe sin tener sed y habla sin tener nada que decir.

Mark Twain (1835-1910).

El hombre es el único animal que se ruboriza. O que debería ruborizarse.

Mark Twain (1835-1910).

Recogéis a un perro que anda muerto de hambre, lo engordáis y no os morderá. Esa es la diferencia más notable que hay entre un perro y un hombre.

Mark Twain (1835-1910).

En general, los hombres son como los perros que ladran cuando oyen ladrar lejos a otros.

Voltaire [François Marie Arouet] (1694-1778), filósofo francés.

Se mire como se mire, no hay ninguna razón para creer que el orden natural tiene alguna mayor tendencia en favor del hombre de la que tenga en favor del ictiosaurio o del pterodáctilo.

Herbert George Wells (1866-1946), escritor e historiador inglés.

¿Y si el mono descendiera del hombre?

Anónima.

Tipos humanos

Hay dos clases de gente en la vida: gente a la que uno está esperando, y gente por la que uno espera.

S. N. Behrman (1893-1973),
escritor estadounidense.

Hay dos tipos de personas en el mundo: los que entran en una habitación y dicen: «¿Estás aquí?», y los que dicen: «¡Aquí estoy!».

Abigail van Buren (1918),
periodista estadounidense.

Hay dos clases de gente: los unos y los otros.

L. Campion.

El mundo está compuesto por dos grandes clases: aquellos que poseen más comida que apetito, y los que tienen más apetito que comida.

Nicholas Chamfort (1741-1794),
escritor francés.

En el mundo hay dos tipos humanos: el rebaño y el esquilador que les pela y luego les vende la lana a buen precio.

Noel Clarasó (1905-1985), escritor español.

En el mundo, aparte de los locos, hay dos clases de personas: las que están mal de la cabeza y las que tienen un tornillo menos.

Noel Clarasó (1905-1985).

Las clasificaciones de los hombres pueden ser numerosas; sin embargo, hay una más sencilla e importante que las demás: algunos nacen diciendo sí; otro, no.

Angelo Gatti (1875-1948),
general y escritor italiano.

Hay dos clases de hombres: los que piensan y los que se divierten.

Barón de Montesquieu (1689-1755),
filósofo francés.

Hay dos tipos de personas en el mundo, las que creen que hay dos tipos de personas y las que no.

Arthur Murphy (1727-1805), dramaturgo inglés.

Hay dos clases de perdedores: el buen perdedor y el que no puede simularlo.

Laurence J. Peter (1919-1990),
ensayista humorístico estadounidense.

Todos los hombres están forzosamente incluidos en una de las dos siguientes categorías: aquellos que tienen once dedos y aquellos que no.

Ned Rorem (1923),
musicólogo estadounidense.

En la vida actúan dos clases de personas; los actores y los espectadores. Los primeros, triunfan; los segundos, disfrutan.

Antonio Solano.

En el mundo existen cuatro clases de personas: los amantes, los ambiciosos, los observadores y los imbéciles. Estos últimos son los más felices.

Hippolyte-Adolphe Taine (1828-1893),
filósofo, historiador y crítico francés.

¿Animal racional?

Hay algo que Dios hizo mal. A todo le puso límites menos a la tontería.

Konrad Adenauer (1876-1967),
canciller alemán.

En primer lugar acabemos con Sócrates, porque ya estoy harto de este invento de que no saber nada es un signo de sabiduría.

Isaac Asimov (1929-1992),
escritor de ciencia ficción y divulgador científico estadounidense nacido en Rusia.

Si no se casan con la realidad, las ideas tienen poca descendencia.

A. Athos.

Hay gentes que tienen en el lenguaje costumbres de loro y en la vida costumbres de mono, solo dicen lo que han oído de otros y solo hacen lo que han visto hacer.

Maurice Baring (1874-1945),
periodista, escritor y diplomático inglés.

Cada minuto nace un nuevo primo.

Phineas T. Barnum (1810-1891), empresario circense estadounidense.

A fin de cuentas, ¿qué es un manicomio? ¡El muestrario de los que están... fuera!

Bertarelli.

El cerebro es un aparato que sirve para pensar que se piensa.

Ambrose Bierce (1842-1914), escritor y periodista estadounidense.

Era estúpido de nacimiento y había desarrollado considerablemente sus dones naturales.

Samuel Butler (1612-1680), escritor inglés.

La Tierra es el asilo de lunáticos del sistema solar.

Samuel Parks Cadman (1864-1936).

No; no eres un hombre genial. Tus preguntas siempre tienen respuesta.

José Camón Aznar (1898-1979), crítico, historiador y profesor español.

El hombre es un necio animal, si juzgo por mí.

Nicholas Chamfort (1741-1794), escritor francés.

Imita lo menos posible a los hombres en su enigmática enfermedad de hacer nudos.

René Char (1907-1966), poeta surrealista francés.

Las personas inteligentes no cometen ellas mismas todos los errores. También dan a otros la oportunidad de cometerlos.

Winston Churchill (1874-1965),
estadista y escritor inglés.

Lo malo de mucha gente no es una falta de ideas, sino un exceso de confianza en las pocas que tienen.

Noel Clarasó (1905-1985), escritor español.

Los hombres siempre son más tontos de lo que parecen.

Noel Clarasó (1905-1985).

Ningún tonto se queja de serlo: no les debe ir tan mal.

Noel Clarasó (1905-1985).

Todo el mundo dice que hacemos demasiadas tonterías, pero nadie dice cuántas se han de hacer.

Noel Clarasó (1905-1985).

La inteligencia del planeta es constante, y la población sigue aumentando.

Arthur Charles Clarke (1917),
escritor de ciencia ficción inglés.

Hay gente que si de pronto se vuelve tonta, nadie se entera.

León Daudí (1905-1985), escritor español.

La única parte verdaderamente sólida de la inteligencia son los huesos del cráneo.

León Daudí (1905-1985).

Desde los tiempos de Adán, los necios están en mayoría.

Casimir Delavigne (1793-1843), poeta francés.

Daría todo lo que sé, por la mitad de lo que ignoro.

René Descartes (1596-1650),
filósofo y científico francés.

No hay nada repartido de modo más equitativo en el mundo que la razón: Todo el mundo está convencido de tener suficiente.

René Descartes (1596-1650).

Hay hombres que parecen tener solo una idea y es una lástima que sea equivocada.

Charles Dickens (1812-1870),
escritor inglés.

Prefiero los malvados a los imbéciles; al menos, aquéllos dejan algún respiro.

Alejandro Dumas hijo (1824-1895),
escritor francés.

Existen solo dos cosas infinitas, el universo y la estupidez humana, y de la primera no estoy seguro.

Albert Einstein (1879-1955),
físico alemán, nacionalizado suizo y luego estadounidense.

Desde la Creación el hombre no se ha dedicado a otra cosa que a pensar. Y así nos va.

P. García (La Codorniz)

Toda idea nueva pasa inevitablemente por tres fases: primero es ridícula, después es peligrosa, y después... ¡todos la sabían!

Henry George (1839-1897),
economista y político estadounidense.

Un hombre inteligente, caminando a pie, llega más pronto que un tonto que va en coche.

Madame Girardin [Delphine Gay] (1804-1855),
escritora francesa.

Aunque a todos les está permitido pensar, muchos se lo ahorran.

Kurt Goetz (1888-1960),
actor y comediógrafo suizo.

El cerebro es un paquete de ideas arrugadas que llevamos en la cabeza.

Ramón Gómez de la Serna (1888-1963),
escritor satírico español.

Fruncimos las cejas porque queremos pillar con pinzas algún gran pensamiento que se nos escapa.
Ramón Gómez de la Serna (1888-1963).

Los locos son los que han encontrado una estratagema para no tener que pensar.
Ramón Gómez de la Serna (1888-1963).

Las ideas muy sencillas solo están al alcance de las mentes complicadas.
Rémy de Gourmont (1858-1914), novelista francés.

Errar es humano, pero echarle la culpa a otro es más humano.
Baltasar Gracián (1601-1658),
jesuita y escritor español.

Son locos todos los que lo parecen y la mitad de los que no lo parecen.
Baltasar Gracián (1601-1658).

El sentido común es muy poco común.
Horace Greeley (1811-1872),
editor de periódicos estadounidense.

La mayoría de las personas prefieren confesar los pecados de los demás.
Graham Greene (1904-1991),
novelista inglés.

Mucha gente utiliza la cabeza solo para menearla. Y eso no sirve para gran cosa.

Friedrich Hacker.

El arte de ser sabio consiste en saber a qué se le puede hacer la vista gorda.

William James (1842-1910),
psicólogo y filósofo estadounidense.

Talento: Cosa que todo el mundo elogia, pero poca gente paga.

Enrique Jardiel Poncela (1901-1952),
escritor español.

Cuando los hombres no tienen otra cosa en qué ocupar su mente, se dedican a pensar.

Jerôme K. Jerôme (1859-1927),
escritor humorístico inglés.

Todo el mundo se queja de falta de memoria, pero nadie de falta de inteligencia.

François de La Rochefoucauld (1613-1680),
escritor moralista francés.

Si tuviéramos que fiarnos del sentido común, la Tierra seguiría siendo plana.

Claire de Lamirande

La sabiduría es la recompensa por pasar la vida escuchando cuando uno hubiera preferido hablar.

Doug Larson.

Las ideas, como las pulgas, saltan de un hombre a otro. Pero no pican a todo el mundo.

Stanislaw Jerzy Lec (1909-1966),
escritor polaco.

Aquel hombre era tan inteligente que casi no servía para nada.

Georg C. Lichtenberg (1742-1799),
escritor y científico alemán.

Es propio de hombres de cabezas medianas embestir contra todo aquello que no les cabe en la cabeza.

Antonio Machado (1875-1939),
poeta español.

La verdad del hombre empieza donde acaba su propia tontería. Pero la tontería del hombre es inagotable.

Antonio Machado (1875-1939),
poeta español.

El hombre no se conforma con ser el animal más estúpido de la creación; encima se permite el lujo de ser el único ridículo.

Augusto Monterroso (1921),
escritor guatemalteco.

Todo el talento de algunos hombres se reduce al arte de hacer creer que tienen todos los talentos que no tienen.

Giovanni Papini (1881-1956),
escritor italiano.

Genio es personalidad con dos duros de talento.

Pablo R. Picasso (1881-1973),
pintor español.

Si una ley obligase a los ciudadanos a ir todas las mañanas a la comisaría para recibir una patada en el culo, nadie faltaría y los retrasados tomarían un taxi.

Pitigrilli [Dino Segre] (1893-1975),
escritor italiano.

Hay un tipo de ignorantes, fruto de los tiempos, que defienden su ignorancia con razonamientos; son ignorantes sistemáticos.

Marcel Prevost (1862-1941),
novelista francés.

Bien se le puede perdonar a un hombre ser necio una hora cuando hay tantos que no lo dejan de ser en toda su vida.

Francisco de Quevedo (1580-1645),
escritor español.

Todos los que parecen estúpidos, lo son y, además también lo son la mitad de los que no lo parecen.

Francisco de Quevedo (1580-1645).

Estupidez humana. Humana sobra. Los únicos estúpidos son los hombres.

Jules Renard (1864-1910),
escritor francés.

A los que encierran en un manicomio es porque exageran la tontería general de los demás hombres.

Santiago Rusiñol (1861-1931),
pintor y escritor español.

Aquel a quien roban el reloj lamenta tanto pasar por tonto que casi desearía ser el ladrón.

Santiago Rusiñol (1861-1931).

Se ha dicho que el hombre es un animal racional. Toda mi vida he estado buscando alguna prueba que pudiera reafirmar esto.

Bertrand Russell (1872-1970),
filósofo y matemático inglés.

Los hombres pueden vivir sin aire unos cuantos minutos, sin agua unas dos semanas, sin alimento cerca de dos meses... y sin un nuevo pensamiento durante años.

Kent Ruth.

Él piensa mucho: hombres así son peligrosos.

William Shakespeare (1564-1616),
dramaturgo inglés.

Debo ser un loco; en todo caso, si estoy cuerdo, los demás tampoco deberían andar sueltos.

George Bernard Shaw (1856-1950),
escritor irlandés.

En medio de doce imbéciles, es el hombre de talento el que parece tonto.

María Star

El hombre es el único zorro que instala una trampa, le pone una carnada y luego mete la pata.

John Steinbeck (1902-1968),
escritor estadounidense.

La mayoría de las personas son como alfileres: sus cabezas no son lo más importante.

Jonathan Swift (1667-1745),
escritor y periodista irlandés.

La ventaja de ser inteligente es que así resulta más fácil pasar por tonto. Lo contrario es mucho más difícil.

Kurt Tucholsky (1890-1935),
escritor alemán.

Hay gente tan llena de sentido común que no le queda el más pequeño rincón para el sentido propio.

Miguel de Unamuno (1864-1936),
filósofo y escritor español.

No es malo tener opiniones firmes. Lo malo es no tener más que eso.

Anthony Weston.

El hombre es un animal racional al que le saca de quicio que se le invite a obrar de acuerdo con los dictados de la razón.

Oscar Wilde (1854-1900), escritor irlandés.

Hacía el tonto con sospechosa perfección.

Oscar Wilde (1854-1900).

El noventa y nueve por ciento de la gente del mundo es loca, y el resto de nosotros estamos en grave peligro de contagiarnos.

Thornton Wilder (1897-1975), escritor estadounidense.

La inteligencia me persigue, pero yo soy más rápido.

Pintada anónima [Mayo del 68]

Cuanto más grande la cabeza, más fuerte la jaqueca.

Proverbio serbio

El total de la inteligencia existente en el planeta es constante; la población está aumentando.

Anónima.

Si el cerebro humano fuese tan simple como para que pudiesemos comprender su funcionamiento, seríamos tan tontos que no lo entenderíamos.

Anónima.

Una gran cantidad de mentes abiertas deberían cerrar por obras.

Anónima.

Las Edades del Ser Humano

Imposible que le diga mi edad: cambia todo el tiempo.

Alphonse Allais (1855-1905),
escritor francés.

La edad que se querría tener perjudica la que se tiene.

Daniele d'Arc, Madame Regnier (1840-1887),
escritora francesa.

Cuando termina la edad de las locuras empieza la de las tonterías.

Jacinto Benavente (1866-1954),
dramaturgo español.

De pequeño quería cambiar el mundo; después intenté cambiar de conversación, y ahora solo aspiro a cambiar de mirada.

Juan Cueto (1945),
periodista español.

¡Si la juventud supiese...! ¡Si la vejez pudiese...!

Henri Estienne II (1531-1598),
impresor y helenista francés.

Cuando se tienen veinte años, uno es incendiario; pero después de los cuarenta, se convierte en bombero.

Witold Gombrowicz (1904-1969), escritor polaco, afincado en Argentina.

A los veinte años, un hombre es un pavo real; a los treinta, un león; a los cuarenta, un camello; a los cincuenta, una serpiente; a los sesenta, un perro; a los setenta, un mono; a los ochenta, nada.

Baltasar Gracián (1601-1658), jesuita y escritor español.

En el fondo de nosotros mismos, siempre tenemos la misma edad.

Graham Greene (1904-1991), novelista inglés.

Los escenarios vitales del hombre: cree en Papá Noel; no cree en Papá Noel; es Papá Noel.

Jim Guthrie.

A menudo se echa en cara a la juventud el creer que el mundo comienza con ella. Cierto. Pero la vejez cree aun más a menudo que el mundo acaba con ella. ¿Qué es peor?

Christian Friedrich Hebbel (1813-1863), escritor alemán.

El que no es bello a los veinte, ni fuerte a los treinta, ni rico a los cuarenta, ni sabio a los cincuenta, nunca será ni bello, ni fuerte, ni rico, ni sabio.

George Herbert (1593-1633), poeta galés.

Entre los veinticinco y los treinta y cinco se es demasiado joven para hacer algo bien; después de los treinta y cinco se es demasiado viejo.

Fritz Kreisler

No hay jóvenes y viejos; solo jóvenes y enfermos.

Pedro Laín Entralgo (1908-2001), médico, académico y escritor español.

Recuerda que estás en el mismo estado vital que un quinceañero cuando eres feliz al oír que el teléfono es para ti.

Fran Lebowitz (1946), escritor satírico estadounidense.

Las cuatro etapas del hombre son primera infancia, infancia, adolescencia y obsolescencia.

Art Linkletter (1912), presentador de radio y televisión estadounidense, nacido en Canadá.

Los jóvenes piensan que los viejos son tontos; los viejos saben que los jóvenes lo son.

John Lyly (1554-1606), escritor inglés.

Debo confesar que nací a una edad muy temprana.

Groucho Marx (1895-1977), actor, humorista y escritor estadounidense.

Tarda unos diez años en acostumbrarse a la edad que tiene.

Raymond Michel.

Ninguna frontera tienta más al contrabando que la de la edad.

Robert Musil (1880-1942), escritor austriaco.

A los cincuenta, cada uno tiene la cara que merece.

George Orwell (1903-1950),
escritor inglés, nacido en la India.

En la vejez se aprende mejor a esconder los fracasos; en la juventud, a soportarlos.

Arthur Schopenhauer (1788-1860),
filósofo alemán.

Los primeros cuarenta años de vida nos dan el texto; los treinta siguientes, el comentario.

Arthur Schopenhauer (1788-1860).

Con veinte años todos tienen el rostro que Dios les ha dado; con cuarenta el rostro que les ha dado la vida, y con sesenta el que se merecen.

Albert Schweitzer (1875-1965),
filántropo y misionero protestante francés.

Solo un loco celebra que cumple años.

George Bernard Shaw (1856-1950),
escritor irlandés.

Conocerás las tres edades del hombre: juventud, madurez y ¡qué bien te veo!

Francis Joseph Spellman (1889-1968),
arzobispo de Nueva York.

Cuando se tienen veinte años se cree haber resuelto el enigma de la vida; a los treinta, se empieza a reflexionar sobre él, y a los cuarenta se descubre que es insoluble.

August Strindberg (1849-1912),
escritor sueco.

Tengo sesenta y cinco años y sospecho que eso me lleva al geriátrico, pero si los años tuvieran quince meses, solo tendría cuarenta y ocho años.

James G. Thurber (1894-1961),
dibujante y escritor satírico estadounidense.

En realidad nunca crecemos. Solo aprendemos a comportarnos en público.

Bryan White.

Los viejos lo creen todo; los adultos todo lo sospechan; mientras que los jóvenes todo lo saben.

Oscar Wilde (1854-1900),
escritor irlandés.

La edad no juega ningún papel a no ser que se sea un queso.

Proverbio suizo

Bajito, pero matón

Bebé: Un tubo que digiere, con una voz aguda en un extremo y sin responsabilidad en el otro extremo.

Elisabeth Adamson.

De pequeño quise tener un perro, pero mis padres eran pobres y solo pudieron comprarme una hormiga.

Woody Allen (1935),
cineasta, humorista y escritor estadounidense.

No me sorprende que los hombres sean tan horribles cuando comienzan su vida siendo niños.

Kingsley Amis (1922), escritor inglés.

Los niños son unos seres a los que sus papás prohíben hacer todo lo que ellos hacían de pequeños.

Ardanópolis (La Codorniz).

Los niños pequeños son los enemigos de la raza humana.

Isaac Asimov (1929-1992), escritor de ciencia ficción y
divulgador científico estadounidense
nacido en Rusia.

Es un gran shock encontrarse a la edad de cinco o seis años con que en un mundo de gary coopers tú eres el indio.

James Baldwin (1924-1987),
novelista estadounidense.

Es muy difícil saber lo que sucede en el cerebro de un niño, pero es imposible saber lo que sucederá en él.

Georges Bernanos (1888-1948), escritor francés.

Para educar a un niño por el camino correcto, transite usted por ese camino durante un rato.

Josh Billings (1842-1914),
humorista estadounidense.

A mí los niños no me gustan. Los niños pequeños son horribles. Si nacieran con siete años más o menos, todavía...

Jorge Luis Borges (1899-1986), escritor argentino.

Los niños tienen una memoria sin igual para las promesas.

Frederika Bremer (1801-1865),
novelista alemana.

Los niños usan los puños hasta que alcanzan la edad en que puede usar el cerebro.

Robert Browning (1812-1889), poeta inglés.

La gente que dice que duerme como un niño generalmente no tiene uno.

Leo J. Burke.

No hay mejor inversión para cualquier comunidad que poner leche dentro de los niños.

Winston Churchill (1874-1965),
estadista y escritor inglés.

Nadie que odie a los niños y a los perros puede ser totalmente malo.

Wayne C. Fields (1880-1946), cineasta estadounidense.

He llegado por fin a lo que quería ser de mayor: un niño.

Joseph Heller (1923), novelista estadounidense.

Los niños son gente menuda a la cual no le es permitido conducirse como sus padres cuando tenían la misma edad.

Josephus Henry.

Nos gustan los niños pequeños porque se largan en cuanto consiguen lo que quieren.

Frank McKinney Kin Hubbard (1868-1930), cómico estadounidense.

Si alguien quiere saber cómo educar bien y perfectamente a los niños debe preguntárselo a los que no los tienen.

Richard Hugo (1923-1982), escritor estadounidense.

El mejor momento para influir en el carácter de un niño es unos cien años antes de que haya nacido.

William Ralph Inge (1860-1954), religioso inglés, déan de la Catedral de St. Paul, en Londres.

Se pueden aprender muchas cosas de los niños. Cuánta paciencia se tiene, por ejemplo.

Franklin P. Jones (1921),
escritor británico.

Los niños son un gran consuelo en tu vejez...; y también te ayudan a llegar a ella más deprisa.

Lionel Kauffman.

Claro que lo entiendo. Incluso un niño de cinco años podría entenderlo. ¡Que me traigan un niño de cinco años!

Groucho Marx (1895-1977),
actor, humorista y escritor estadounidense.

Adoro a los niños. Sobre todo cuando se ponen a llorar... porque entonces es cuando alguien se los lleva.

Nancy Mitford (1904-1973),
escritora británica.

Hemos tenido mala suerte con nuestros niños: todos han crecido.

Christopher Morley (1890-1957),
escritor estadounidense.

El niño moderno te responde aún antes de que tú le preguntes.

Laurence J. Peter (1919-1990),
ensayista humorístico estadounidense.

Los niños son un producto de la sociedad de consumo. Cuando nace un niño nace un consumidor. Y el que no nace es también un consumidor. De anticonceptivos.

Piolín de Macramé.

Se sabe que los niños han crecido cuando comienzan a hacer preguntas que tienen respuesta.

John J. Plomp.

¿Qué es nuestra imaginación comparada con la de un niño que intenta hacer un ferrocarril con espárragos?

Jules Renard (1864-1910),
escritor francés.

Un niño prodigio es alguien que sabe tanto de niño como de mayor.

Will Rogers (1879-1935),
humorista estadounidense.

Solo los niños saben lo que buscan. Pierden el tiempo con una muñeca de trapo y la muñeca se transforma en algo muy importante, y si se le quita la muñeca, lloran.

Antoine de Saint Exupery (1900-1944),
escritor y aviador francés.

Debí ser un niño insufrible; todos los niños lo son.

George Bernard Shaw (1856-1950),
escritor irlandés.

Los niños del año 2000 dirán que una granja es un lugar donde los pollos caminan.

George Bernard Shaw (1856-1950).

El niño se convierte en adulto cuando comprende que no solo tiene derecho a tener razón, sino también a equivocarse.

Thomas Szasz (1920),
psiquiatra y filósofo estadounidense, de origen húngaro.

Cada niño, al nacer, nos trae el mensaje de que Dios no ha perdido todavía la esperanza en los hombres.

Rabindranath Tagore (1861-1941),
filósofo y escritor hindú.

He descubierto que la mejor manera de dar consejos a los niños es averiguar primero qué desean y en seguida aconsejarles que lo hagan.

Harry S. Truman (1884-1972),
estadista estadounidense.

La infancia es una época maravillosa, en la que a los hermanos se les regala sarampión de presente de cumpleaños.

Peter Ustinov (1921-2004),
escritor, actor y director inglés.

Niño: Prueba de que, en la especie humana, la mariposa precede al capullo.

Pierre Veron (1833-1900),
escritor francés.

Es una suerte que los niños pequeños sean lavables.

Anónima.

No hay nada más insoportable que un niño precoz, excepto su madre.

Anónima.

¿QUIÉN DIJO QUE UN DIVINO TESORO?

En caso de que te preocupe en qué se están convirtiendo las jóvenes generaciones, te diré que están creciendo y comenzando a preocuparse por las jóvenes generaciones.

Roger Allen.

Hagan sitio a los jóvenes, a los recién llegados, a los que no tienen nada que decir, pero están ahí.

Antonin Artaud (1896-1948),
poeta y dramaturgo francés.

La juventud sería un estado ideal si llegase un poco más tarde en la vida.

Herbert Henry Asquith (1852-1928),
jurista y estadista inglés.

De mis disparates de juventud, lo que me da más pena no es haberlos cometido, sino no poder volver a cometerlos.

Pierre Benoit (1885-1962), novelista francés.

Adolescencia: Periodo de la vida humana intermedio entre la idiotez de la infancia y la locura de la juventud; a dos pasos del pecado de la madurez y a tres del remordimiento de la vejez.

Ambrose Bierce (1842-1914), escritor y periodista estadounidense.

La mejor manera de tener aspecto juvenil, es rodearse de gente más vieja que uno.

Clarín Porteño.

La mayor desgracia de la juventud actual es ya no pertenecer a ella.

Salvador Dalí (1904-1988), pintor español.

No hacía nada, pero estaba convencido, como todos los jóvenes que empiezan a vivir, de que pronto iba a realizar cosas extraordinarias.

Fiodor Dostoievski (1821-1881), escritor ruso.

El mejor sustituto de la experiencia es tener dieciséis años.

Raymond Duncan.

Al igual que todos los jóvenes, me proponía ser un genio, pero afortunadamente intervino la risa.

Lawrence Durrell (1912-1990), novelista inglés.

La adolescencia es el periodo de la vida del niño en que sus padres se ponen más difíciles.

Benjamin Franklin (1706-1790), político y científico estadounidense.

Si la juventud es un defecto, uno se corrige muy pronto de él.

Johann Wolfgang Goethe (1749-1832),
escritor alemán.

Bienaventurados sean los jóvenes porque ellos heredarán la Deuda Nacional.

Herbert Hoover (1874-1964),
estadista estadounidense.

Es difícil no impacientarse con lo absurdos que son los jóvenes. Nos dicen que dos y dos son cuatro como si nunca se nos hubiese ocurrido, y se decepcionan al ver que no participamos de su sorpresa cuando descubren que las gallinas ponen huevos.

William Somerset Maugham (1874-1965),
escritor inglés nacido en Francia.

Nadie es más misántropo que un adolescente decepcionado.

Herman Melville (1819-1891),
novelista estadounidense.

Es una joven de hoy, es decir, más o menos una joven de ayer.

Paul Morand (1888-1976),
escritor y diplomático francés.

Hasta que tuve treinta años, creí que mi nombre era «¡Cállate!».

Joe Namath (1943),
jugador estadounidense de fútbol americano.

La gente joven está convencida de que posee la verdad. Desgraciadamente, cuando logran imponerla ya ni son jóvenes ni es verdad.

Jaume Perich (1941),
dibujante cómico español.

Lleva tiempo llegar a ser joven.

Pablo R. Picasso (1881-1973),
pintor español.

Como sus políticos y sus guerras, la sociedad tiene los quinceañeros que se merece.

J. B. Prietsley (1894-1984),
escritor inglés.

Tal vez algún día dejen a los jóvenes inventar su propia juventud.

Quino [Joaquín Salvador Lavado] (1932),
dibujante cómico argentino.

A los veinte años, uno piensa profundamente y mal.

Jules Renard (1864-1910),
escritor francés.

Que los jóvenes de ahora no se hagan ilusiones; nacidos cincuenta años atrás, habrían pensado y obrado exactamente igual que sus abuelos, o sea, que todo el mundo de entonces.

Jules Renard (1864-1910).

La juventud es una enfermedad que se cura con los años.

George Bernard Shaw (1856-1950),
escritor irlandés.

Los jóvenes de hoy aman el lujo, tienen manías y desprecian la autoridad. Responden a sus padres, cruzan las piernas y tiranizan a sus maestros.

Sócrates (470-399 a. de C.),
filósofo griego.

Cuando era más joven podía recordar todo, hubiera sucedido o no.

Mark Twain (1835-1910),
escritor y periodista estadounidense.

La adolescencia es como una casa en tiempo de mudanza: un desorden temporal.

Julius Warren.

Haría cualquier cosa por recuperar la juventud... excepto hacer ejercicio, madrugar o ser un miembro útil de la comunidad.

Oscar Wilde (1854-1900),
escritor irlandés.

No soy lo bastante joven para saber algo.

Oscar Wilde (1854-1900).

Contrata a un adolescente mientras todavía lo sabe todo.

Pintada anónima.

Adolescentes: Grupo de individuos que manifiestan su profundo deseo de ser diferentes, vistiéndose iguales.

Anónima.

La ventaja de ser jóvenes es que si tuviéramos que hacerlo todo otra vez, aún nos quedaría tiempo.

Anónima.

Nuestra juventud es decadente e indisciplinada, los jóvenes ya no escuchan los consejos de los viejos, el fin de los tiempos está cerca.

Anónimo caldeo (2000 a.C.).

LA EDAD MEDIA

El hombre que a los cincuenta años ve el mundo igual a como lo veía a los veinte, ha desperdiciado treinta años de su vida.

Muhammad Alí [Cassius Clay] (1942),
boxeador estadounidense.

La edad madura es un tiempo de la vida del que un hombre se da cuenta por primera vez en su mujer.

Richard Armour (1906),
humorista, ensayista y poeta satírico estadounidense.

La edad madura es aquella edad en la cual se es todavía joven pero con mucho mayor esfuerzo.

Jean Louis Barrault (1910-1999),
actor y dramaturgo francés.

Maduramos el día que reímos francamente por primera vez... de nosotros mismos.

Ethel Barrymore (1879-1959),
actriz estadounidense.

¿Qué es un adulto? Un niño inflado por la edad.

Simone de Beauvoir (1908-1986),
escritora y feminista francesa.

Adulto: el hombre que ha dejado de desarrollarse verticalmente y empieza a desarrollarse horizontalmente.

Noel Clarasó (1905-1985),
escritor español.

Es fácil darse cuenta de cuando se llega a la madurez. Si al subir a un vehículo se prefiere un asiento cómodo a un asiento al lado de una mujer, ya se es un hombre maduro.

Lawrence Durrell (1912-1990),
novelista inglés.

Los hombres de talento, al llegar a los cincuenta años, hacen con mucha seriedad cosas de las que a los veinticinco se habrían reído.

Gustave Flaubert (1821-1881),
escritor francés.

Lo más importante que aprendí a hacer después de los cuarenta años fue a decir no cuando es que no.

Gabriel García Márquez (1928),
novelista y periodista colombiano.

Los cuarenta años es la vejez de la juventud; los cincuenta es la juventud de la vejez.

Victor Hugo (1802-1885),
escritor francés.

El hombre ha llegado a la edad madura cuando la muchacha a quien hace un guiño cree que le ha entrado algo en el ojo.

Franklin P. Jones (1921),
escritor británico.

La edad madura es el tiempo en que un hombre está siempre pensando que en una semana o dos volverá a sentirse tan bien como siempre.

Don Marquis (1878-1937),
periodista estadounidense.

La edad madura es cuando estás sentado en casa un sábado por la noche, suena el teléfono y esperas que no sea para ti.

Ogden Nash (1902-1971),
poeta humorístico estadounidense.

La edad madura es cuando dejas de criticar a la generación más vieja y comienzas a criticar a la más joven.

Laurence J. Peter (1919-1990),
ensayista humorístico estadounidense.

Edad madura: cuando comienzas a sonreír con las cosas que solían hacerte reír.

Puck

Un signo inequívoco de la edad es el hecho de que, entre dos posibilidades, se escoja siempre la que te permite estar en casa a las nueve.

Ronald Reagan (1911-2004),
estadista estadounidense.

Cuando era joven decía: «Ya verás cuando tenga cincuenta años». Tengo cincuenta años y no he visto nada.

Erik Satie (1866-1925),
compositor francés.

Los adultos son niños obsoletos.

Dr. Seuss [Theodor Seuss Geisel] (1904-1991),
escritor, pintor y editor estadounidense.

Todo hombre de más de cuarenta años es un canalla.

George Bernard Shaw (1856-1950),
escritor irlandés.

Cuando al subir a un tren, no se busca un departamento en que haya una mujer, sino uno donde haya un sitio cómodo es que ha llegado la madurez.

Gino Simonetti

La vida comienza a los cuarenta, pero también el lumbago, la pérdida de vista, la artritis...

Anónima

Un hombre comienza a entrar en la madurez cuando empieza a apagar la luz más por motivos económicos que por motivos sentimentales.

Anónima

A LA VEJEZ...

Después de los sesenta, todos pertenecen al sexo débil.

Woody Allen (1935),
cineasta, humorista y escritor estadounidense.

El caso es que los placeres que de joven te prohibió el sacerdote, de mayor te los va a desaconsejar el médico.

José Luis Alvite

El anciano es un hombre que ya ha comido y observa cómo comen los demás.

Honoré de Balzac (1799-1850),
escritor francés.

Jamás seré un hombre viejo. Para mí, la vejez siempre es quince años mayor que yo.

Bernard M. Baruch (1870-1965),
político, diplomático y financiero estadounidense.

Envejecer es como escalar una gran montaña: mientras se sube las fuerzas disminuyen, pero la mirada es más libre, la vista más amplia y serena.

Ingmar Bergman (1918),
director de cine sueco.

En los rostros de aquellos que conocimos de jóvenes reconocemos lo viejos que nos hemos vuelto.

Heinrich Böll (1917-1985),
escritor alemán.

Si los viejos valen más, es que pueden menos.

Alfred Bougeard (1815-1880),
historiador y moralista francés.

Cuando uno llega a los ochenta años lo ha aprendido ya todo. Solo le falta recordarlo.

Georg Plumer Burns (1871-1953),
botánico estadounidense.

Envejecer no es tan malo cuando se piensa en la alternativa.

Maurice Chevalier (1889-1972),
cantante y actor francés.

Si los ancianos careciesen de experiencia... ¿qué tendrían?

Charles Chincholle (1843-1902), escritor francés.

Los hombres son como los vinos: La edad agria los malos y mejora los buenos.

Marco Tulio Cicerón (106-43 a.C.), orador y estadista romano.

Si quieres ser viejo mucho tiempo, hazte viejo pronto.

Marco Tulio Cicerón (106-43 a.C.).

El anciano es el aristócrata de la vejez.

José Luis Coll (1931-2007), humorista español.

Los nietos no son lo que hacen sentirse viejo al hombre; es darse cuenta de que está casado con una abuela.

G. Norman Collie, profesor estadounidense.

Muchas personas no cumplen los ochenta porque intentan durante demasiado tiempo quedarse en los cuarenta.

Salvador Dalí (1904-1988), pintor español.

Lo único verdaderamente difícil en esta vida es llegar a los ochenta años; después, la cosa va sola.

León Daudí (1905-1985), escritor español.

La vejez no es un buen lugar para los miedicas.

Bette Davis (1908-1989), actriz estadounidense.

Qué poco dura el saber: a los veinte años todo lo sabía; a los setenta no entiendo nada.

Macedonio Fernández (1875-1952),
escritor argentino.

Los viejos, como los niños, tienen sus juguetes. La diferencia está solo en el precio.

Benjamin Franklin (1706-1790),
político y científico estadounidense.

Cuando cese de indignarme, habré comenzado mi vejez.

André Gide (1869-1951), escritor francés.

Para llegar a viejo es imprescindible tener una mala salud de hierro.

Cesar González-Ruano (1903-1965),
periodista y escritor español.

Decirle a alguien: «¡Qué joven estás!» es también una manera de decirle: «¡Qué viejo eres!».

Cary Grant (1903-1986), actor inglés,
afincado en los Estasos Unidos.

¿Que los años pasan muy rápidamente? Sí, para el que envejece.

Knut Hamsun (1859-1952), escritor noruego.

Cuanto más se envejece más se parece la tarta a un desfile de antorchas.

Katharine Hepburn (1909-2003),
actriz estadounidense.

La vejez llega inesperadamente. De pronto ya no saltas de la silla; te levantas, que es una acción distinta.

Katharine Hepburn (1909-2003).

Todo el mundo quiere llegar a viejo, pero nadie quiere serlo.

Martin Held (1908-1984), actor alemán.

Sabes que te estás haciendo viejo cuando las velas cuestan más que la tarta.

Bob Hope (1903-2003),
actor cómico estadounidense.

A los viejos hay que matarlos jóvenes.

Alfred Jarry (1873-1907), escritor y ensayista francés.

A la gente mayor le gusta dar buenos consejos; les compensa de su imposibilidad de dar malos ejemplos.

François de La Rochefoucauld (1613-1680),
escritor moralista francés.

La vejez es un tirano que prohíbe, bajo pena de muerte, todos los placeres de la juventud.

François de La Rochefoucauld (1613-1680).

La única buena cosa que se puede decir sobre la vejez es que es mejor que estar muerto.

Stephen Leacock (1869-1944),
humorista canadiense.

Estoy pasando los cuarenta y me estoy tomando mi tiempo en ello.

Harold Lloyd (1894-1971), actor de cine estadounidense. [Cuando, teniendo alrededor de setenta años, le fue preguntada su edad.]

Si el precio de la sabiduría es la vejez, prefiero ser imbécil.

José Luis López Vázquez (1922), actor español.

Si sigues cumpliendo años, acabarás muriéndote. Besos, Groucho.

Groucho Marx (1895-1977), actor, humorista y escritor estadounidense.

La ventaja de la edad es que ya no se intentan las cosas que antes uno no se podía permitir.

Walter Matthau (1920-2000), actor estadounidense.

La vejez es como volar en avión en medio de una tormenta. Una vez que has entrado, ya no hay nada que hacer.

Golda Meir (1898-1978), estadista israelí de origen ruso.

Cuanto más viejo me hago más en desacuerdo estoy con la doctrina popular de que la edad trae sabiduría.

Henry-Louis Mencken (1880-1956), escritor y editor estadounidense.

La vejez es una enfermedad como cualquier otra en la cual al final uno se muere irremisiblemente.
Alberto Moravia (1907-1990), escritor italiano.

La vejez es cuando sabes todas las respuestas pero nadie te hace las preguntas.
Laurence J. Peter (1919-1990), ensayista humorístico estadounidense.

Cuando me dicen que soy demasiado viejo para hacer una cosa, procuro hacerla enseguida.
Pablo R. Picasso (1881-1973), pintor español.

A cierta edad, un poco por amor propio, otro poco por picardía, las cosas que más deseamos son las que fingimos no desear.
Marcel Proust (1871-1922), escritor francés.

Cuando uno es joven, quiere ser el dueño de su destino y el capitán de su alma. Al envejecer, se conforma con ser el dueño de su peso y el capitán de su equipo de bolos.
Parts Pups.

Todos deseamos llegar a viejos y todos negamos que hemos llegado.
Francisco de Quevedo (1580-1645), escritor español.

La vejez existe cuando se empieza a decir: «Nunca me he sentido tan joven».
Jules Renard (1864-1910), escritor francés.

Esto de los años, yo no lo entiendo; que aunque es bueno cumplirlos, no lo es tenerlos.

Francisco de Rojas Zorrilla (1607-1648), comediógrafo español.

Primero olvidas los nombres, luego olvidas las caras, luego olvidas subirte la cremallera, luego olvidas bajarte la cremallera.

Leo Rosenberg.

Envejecer es todavía el único medio que se ha encontrado para vivir mucho tiempo.

Charles A. Sainte-Beuve (1804-1869), poeta francés.

A mi edad, vivo con permiso del sepulturero.

Claudio Sánchez Albornoz (1893-1984), historiador español.

La tragedia de la edad no es ser viejo, sino que se sea joven y la gente no lo vea.

Andrés Segovia (1893-1991), músico español.

La vejez tiene dos ventajas: dejan de dolerte las muelas y se dejan de oír las tonterías que se dicen alrededor.

George Bernard Shaw (1856-1950), escritor irlandés.

¡Nunca volveré a cometer el error de tener setenta años!

Casey Stengel (1890-1975), jugador de béisbol y empresario estadounidense.

Todo el mundo quisiera vivir largo tiempo, pero nadie querría ser viejo.

Jonathan Swift (1667-1745), escritor irlandés.

La vejez es la cosa más inesperada de todas las que le suceden al hombre.

León Trotski (1879-1940), político ruso.

La vejez es una enfermedad extraña: se la cuida para hacerla durar.

G. M. Valtour (siglo XIX), escritor francés.

El drama de la vejez no consiste en ser viejo sino en haber sido joven.

Oscar Wilde (1854-1900), escritor irlandés.

Las canas ya no se respetan. Se tiñen.

Anónima.

Una persona puede comprobar que está en la edad madura, cuando se sabe de memoria el nombre y el efecto de más de cinco medicinas.

Anónima.

La Vida

¿Qué es la vida?

La respuesta a la gran cuestión de la vida, el universo y todo es... 42.

Douglas Adams (1952-2001),
novelista de ciencia ficción estadounidense.

La comida en este lugar es realmente terrible. Sí, y servida en pequeñas porciones. Eso es esencialmente lo que siento con respecto a la vida.

Woody Allen (1935),
cineasta, humorista y escritor estadounidense.

La vida no imita al arte, imita a la mala televisión.

Woody Allen (1935).

La vida es un hospital donde cada enfermo está poseído por el deseo de cambiar de cama.

Charles Baudelaire (1821-1867),
poeta francés.

El mundo acabó ayer. Hoy es una acción repetida.

Guy Bellamy,
escritor británico contemporáneo.

Cuando creíamos que teníamos todas las respuestas, de pronto, cambiaron todas las preguntas.

Mario Benedetti (1920), escritor uruguayo.

La vida es como una lata de sardinas. Y todos estamos buscando el abrelatas.

Alan Bennett (1934), escritor británico.

La vida humana es una manera de rellenar el tiempo hasta la llegada de la muerte o de Santa Claus.

Eric Berne (1910-1970), psiquiatra estadounidense.

La vida consiste no en tener buenas cartas, sino en jugar bien las que uno tiene.

Josh Billings (1842-1914), humorista estadounidense.

El sentido de la vida estriba en que no tiene ningún sentido decir que la vida no tiene ningún sentido.

Niels Bohr (1885-1962), físico danés.

He aprendido a aceptar el nacimiento y la muerte, pero a veces todavía me preocupa lo que hay de por medio.

Ashleigh Brilliant

La vida es el arte de sacar conclusiones suficientes de premisas insuficientes.

Samuel Butler (1612-1680), escritor inglés.

ás de uno que dice que la vida es breve le
ce el día demasiado largo.

Christian Friedrich Hebbel (1813-1863), escritor alemán.

mpujan al juego, te enseñan las reglas y, a la
era falta, te matan.

Ernest Hemingway (1898-1961), novelista estadounidense.

a vida humana solo unos pocos sueños se
plen, la gran mayoría se roncan.

Enrique Jardiel Poncela (1901-1952), escritor español.

da está llena de sorpresas y de protozoos del
lismo.

Enrique Jardiel Poncela (1901-1952).

do: Una granja en la que se han olvidado de
ar los lobos de los corderos.

Princesa Karadja (1890-?), escritora francesa.

la vida es un juego de poder. El objeto del
es sencillo: saber lo que se quiere y conse-
).

Michael Korda (1933), escritor británico.

r es algo que va uno haciendo mientras no
gue dormirse.

Fran Lebowitz (1946), escritor satírico estadounidense.

Voy a decirte una verdad y es esta: «No vale nuestra vida lo que cuesta».

Ramón de Campoamor (1817-1901), poeta español.

La vida ha dejado de ser un chiste para mí; no le veo la gracia.

Charles Chaplin (1889-1978), cineasta inglés nacionalizado estadounidense.

Al nacer el hombre escoge uno de los tres caminos de la vida, y no hay otros: vas hacia la derecha y los lobos te comen; vas hacia la izquierda y tú te comes a los lobos; vas derecho y te comes a ti mismo.

Anton Chéjov (1860-1904), escritor ruso.

En los actos trascendentales de la vida —nacimiento, boda, entierro— el único que no se divierte es el protagonista.

Noel Clarasó (1905-1985), escritor español.

La vida es un naufragio en el que, a última hora, solo se salva el barco.

Noel Clarasó (1905-1985).

La vida es un espectáculo magnífico, pero tenemos malos asientos y no entendemos lo que estamos presenciando.

Georges Clemenceau (1841-1929),
médico y estadista francés.

La vida es una cosa divertida que ocurre en el camino hacia la sepultura.

Quentin Crisp (1908-1999), escritor inglés.

Es curioso que la vida, cuanto más vacía es, más pesa.

León Daudí (1905-1985), escritor español.

Si encuentran ustedes este mundo malo, deberían ver alguno de los otros.

Philip K. Dick (1928-1982),
escritor de ciencia ficción estadounidense.

Muy pronto en la vida es demasiado tarde.

Marguerite Duras (1914-1989),
escritora francesa nacida en Vietnam.

No os toméis la vida demasiado en serio; de todas maneras no saldréis vivos de esta.

Bernard le Bouvier de Fontenelle (1657-1757),
escritor francés.

Vida: Breve periodo que se divide en dos partes; durante la primera se desea que venga la segunda, y durante la segunda se desea que vuelva la primera.

Lina Furlan

El único error de Dios fue no
hombre de dos vidas: una pa
para actuar.

Vittorio Gassman (
dir

La frase que más reúne la vid
«¡Estoy hecho polvo!».

Ramón Gómez de la
esc

La vida consiste en que a uno
que no le han sucedido nunca.

Ramón Gómez de la

La vida es beberse una copa en
estación mientras se cambia de

Ramón Gómez de la

Vida: Conjunto de pequeños
juntos, no constituyen más que

Sacha Guitry (1885-
actor ruso

Cuando oigo a alguien suspira
siempre siento la tentació
«¿comparada con qué?».

Sydney J. Harris (191
escritor

La vida es como una alcantarilla; solo se saca de ella lo que en ella se ha metido primero.

Tom Lehrer (1928),
humorista estadounidense.

La vida es eso que se te pasa mientras tú te empeñas en hacer otros planes.

John Lennon (1940-1980), cantante y
compositor inglés, co-fundador de The Beatles.

Hay una ley de la vida, cruel y exacta, que afirma que uno debe crecer o, en caso contrario, pagar más por seguir siendo el mismo.

Norman Mailer (1923-2007),
escritor estadounidense.

La vida del hombre es un breve paseo entre el germen y la momia.

Marco Aurelio Antonino (121-180),
emperador y filósofo romano.

La vida es como una nuez. No puede cascarse entre almohadones de plumas.

Arthur Miller (1915-1980),
dramaturgo estadounidense.

Es un viaje por una alcantarilla en un bote con el fondo transparente.

Wilson Mizner (1876-1933),
escritor y aventurero estadounidense.

Cuando entendemos la vida, ya la hemos vivido.

José Narosky, escritor argentino

¿Vale acaso la pena haber vivido para encontrar después de tantas cosas que, sin duda, las horas más hermosas son las que hemos dormido?

Amado Nervo (1870-1919), escritor mexicano.

Si todo el mundo es un escenario, y todos los hombres y mujeres meramente actores, ¿de dónde sale todo el público?

Denis Norden (1922), humorista británico.

En otras palabras, aparte de lo sabido y de lo desconocido, ¿qué más hay?

Harold Pinter (1930), dramaturgo británico.

En la vida no hay clases para principiantes; enseguida se le exige a uno lo más difícil.

Rainer Maria Rilke (1875-1926), escritor autriaco nacido en Praga.

Muchos a ver comedias van al teatro. Yo me voy al del mundo, que es más barato.

Ventura Ruiz Aguilera (1820-1881), erudito, escritor y político español.

La vida es como el palo de un gallinero: corta pero llena de mierda.

Santiago Rusiñol (1861-1931), pintor y escritor español.

La vida es como una cebolla: quitas las capas una a una y, a veces, lloras.

Carl Sandburg (1878-1967),
poeta estadounidense, de ascendencia sueca.

Estamos en la misma posición que un fontanero arreglando una cañería. No somos responsables de lo que pasa a través de la cañería.

David Sarnoff (1891-1971),
ex presidente de la compañía discográfica RCA.

La vida es un pánico en un teatro en llamas.

Jean Paul Sartre (1905-1980),
escritor y filósofo francés.

El destino es el que baraja las cartas, pero nosotros los que jugamos.

Arthur Schopenhauer (1788-1860),
filósofo alemán.

La vida es demasiado corta para que los hombres se la tomen en serio.

George Bernard Shaw (1856-1950),
escritor irlandés.

Durante toda la vida estamos metiendo peniques —nuestros más dorados peniques— en ranuras de máquinas que están casi siempre vacías.

Logan Pearsall Smith (1865-1946),
ensayista estadounidense.

En el fondo, en la vida no hay más que lo que en ella metemos.

Madame de Swetchine (1782-1857),
escritora francesa, de origen ruso.

La vida es una mala noche en una mala posada.

Santa Teresa de Jesús (1515-1582), mística española.

La vida es una película mal montada.

David Trueba (1966),
cineasta español.

Sin jactancias, puedo decir que la vida es lo mejor que conozco.

Francisco Urondo.

Lamento que la vida sea tan corta. Por otro lado, sería horroroso si la vida fuera muy larga.

Peter Ustinov (1921-2004),
escritor, actor y director inglés.

No me gustan las cartas que me han dado, pero me gusta el juego y quiero jugar.

Eugene Fitch Ware (1841-1911),
abogado estadounidense.

A veces podemos pasarnos años sin vivir en absoluto, y de pronto toda nuestra vida se concentra en un solo instante.

Oscar Wilde (1854-1900),
escritor irlandés.

El mundo es un escenario, pero los papeles están mal repartidos.

Oscar Wilde (1854-1900).

La mayoría de nosotros cree que la verdadera vida es la que no llevamos.

Oscar Wilde (1854-1900).

La vida es simplemente un mal cuarto de hora formado por momentos exquisitos.

Oscar Wilde (1854-1900).

La vida es una enfermedad de transmisión sexual.

Pintada anónima.

Lloramos al nacer y cada día que vivimos nos demuestra por qué.

Proverbio chino.

En este mundo nada dura... ¡Quien hoy tirita, mañana suda!

Proverbio español.

La vida no es más que un sueño, pero no me despiertes.

Proverbio judío.

Cuando al fin logramos averiguar por qué gira el mundo, estamos demasiado mareados para que nos importe.

Anónima.

El mundo es un escenario, pero la mayoría de nosotros solo somos los tramoyistas.

Anónima.

El mundo es una bola y nosotros los boludos.

Frase popular argentina.

MANERAS DE VIVIR

Detesto el tópico que asegura que todo es para bien.

Franklin P. Adams (1881-1960), periodista y humorista estadounidense.

Solo hay una manera de resistir bien el frío, y es estar contento de que haga frío.

Alain [Emile-Auguste Chartier] (1868-1951), filósofo y escritor francés.

Disfruta el día hasta que un imbécil te lo arruine.

Woody Allen (1935), cineasta, humorista y escritor estadounidense.

Me interesa el futuro porque es el sitio donde voy a pasar el resto de mi vida.

Woody Allen (1935).

Si no te equivocas de vez en cuando, es que no lo intentas.

Woody Allen (1935).

Me gusta la realidad. Sabe a pan.

Jean Anouilh (1910-1987),
dramaturgo francés.

Lo mejor es salir de la vida como de una fiesta, ni sediento ni bebido.

Aristóteles (384-322 a. de C.),
filósofo griego.

Lo malo de ser un «buen perdedor» es que hay que perder para demostrarlo.

Richard Armour (1906-1989),
humorista, ensayista y poeta satírico estadounidense.

Voy a hacer un nudo en mi pañuelo para acordarme de que existo.

Alexandre Arnoux (1884-1973),
escritor francés.

Si yo viviera mi vida otra vez, cometería los mismos errores... solo que más deprisa.

Tallulah Bankhead (1903-1968),
actriz cinematográfica estadounidense.

El mejor borrador del mundo es dormir bien toda la noche.

Orlando Aloysius Battista (1917).

En la vida, como en el ajedrez, las piezas mayores pueden volverse sobre sus pasos, pero los peones solo tienen un sentido de avance.

Juan Benet (1928-1993), escritor español.

Está muy bien no hacer nunca lo que la gente espera que hagas, pero ¿qué hacer cuando lo que la gente espera es lo inesperado?

Alan Bennett (1934), escritor británico.

A veces, hallarse ante una oportunidad es como tener una jirafa delante y solo verle las rodillas.

Laurie Beth.

Solamente podemos pagar nuestra deuda con el pasado poniendo el futuro en deuda con nosotros.

John Buchan, Lord Tweedsmuir (1875-1940).

En las lápidas de mucha gente debería leerse: «Muerto a los treinta. Enterrado a los sesenta».

Nicholas M. Butler (1862-1947), pedagogo y sociólogo estadounidense.

No hay esfuerzos inútiles. Sísifo desarrollaba sus músculos.

Roger Caillois (1913-1978), escritor francés.

Confianza es lo que se tiene hasta estar mejor informado.

Aldo Cammarota, humorista argentino.

Si cada cual se ocupase de lo suyo, el mundo daría vueltas más aprisa.

Lewis Carrol (1832-1898), religioso, matemático y escritor inglés.

Por la calle del ya voy se va a la casa del nunca.

Miguel de Cervantes (1547-1616),
escritor español.

El que exige jugar con las cartas boca arriba tiene todos los triunfos en la mano.

Geofrey Chaucer (1340-1400),
poeta inglés.

No existe en el mundo un asunto sin interés. Lo único que puede existir es una persona que no se interese.

Gilbert Keith Chesterton (1874-1936),
escritor inglés.

No hay reglas de arquitectura para los castillos en el aire.

Gilbert Keith Chesterton (1874-1936).

Una de las desventajas de la prisa es que lleva demasiado tiempo.

Gilbert Keith Chesterton (1874-1936).

Personalmente siempre estoy dispuesto a aprender, aunque no siempre me gusta que me den lecciones.

Winston Churchill (1874-1965),
estadista y escritor inglés.

Si estás atravesando el infierno, no te pares.

Winston Churchill (1874-1965).

El hombre ha de tomar ejemplo del alfiler: la cabeza le impide perderse.

Noel Clarasó (1905-1985), escritor español.

El mundo está lleno de caminos, pero todos interceptados.

Noel Clarasó (1905-1985).

Nadie puede cambiar su pasado, pero todos pueden contarlo al revés.

Noel Clarasó (1905-1985).

Todo el que se propone llegar a ser algo, es algo; aunque casi siempre una cosa distinta de la que se ha propuesto.

Noel Clarasó (1905-1985).

No hay que rechazar las recompensas oficiales; lo que se debe hacer es no merecerlas.

Jean Cocteau (1889-1963), escritor francés.

Analizando la situación creo que un hombre aguanta más de lo que nadie pueda imaginar. Hasta que un día se harta de aguantar y dice: «¡Esto se acabó!». Y sigue aguantando.

José Luis Coll (1931-2007), humorista español.

A menudo, la oportunidad llama a la puerta, pero cuando quieres quitar la cadena, correr el cerrojo, desenganchar los dos pestillos y desconectar la alarma, es demasiado tarde.

Rita Coolidge (1945), cantante estadounidense.

Tengo una memoria de elefante. De hecho, los elefantes a menudo me consultan.

Noël Coward (1899-1973),
dramaturgo, compositor y actor inglés.

Humor: Sensación que hace que te rías de aquello que te irritaría si te sucediera a ti.

William Davis.

Es muy fácil vivir haciéndose el tonto. De haberlo sabido antes me habría declarado idiota desde mi juventud, y puede que a estas alturas hasta fuera más inteligente. Pero quise tener ingenio demasiado pronto, y heme aquí hecho un imbécil.

Fiodor Dostoievski (1821-1881),
escritor ruso.

Todas las generalizaciones son peligrosas; incluso esta.

Alejandro Dumas (1803-1870),
escritor francés.

Sobre todo, no apresurarse, porque no tenemos tiempo que perder.

Guillaume Dupuytren (1777-1835),
cirujano francés.

Cuando llega el tiempo en que se podría, ha pasado ya aquel en el que se pudo.

Marie von Ebner-Eschenbach (1830-1916),
escritora austriaca, natural de Moravia.

La superstición trae mala suerte.

Umberto Eco (1932),
escritor italiano.

La tierra prometida está siempre al otro lado del desierto.

Havelock Ellis (1840-1916), escritor inglés.

Nunca haga aquello por lo que no quiere que se le conozca.

Ralph Waldo Emerson (1803-1882),
político y pensador estadounidense.

Cosa tuya es representar correctamente el personaje que te ha sido confiado; en cuanto a elegirlo, es cosa de otro.

Epicteto de Frigia (50-135),
filósofo estoico romano, natural de Grecia.

Reírse de todo es propio de tontos, pero no reírse de nada lo es de estúpidos.

Erasmo de Rotterdam (1466-1536),
filósofo y teólogo holandés.

Si me fuera a reencarnar, quisiera volver a este mundo como un buitre: nadie lo odia, ni lo envidia, ni lo desea, ni lo necesita; jamás lo molestan y nunca está en peligro; además, le mete el diente a cualquier cosa.

William Faulkner (1897-1962),
novelista estadounidense.

El gran secreto para alargar la vida es no acortarla.

Ernest von Feuchstersleben (1806-1849),
escritor y filósofo austriaco.

Es muy difícil pronosticar, especialmente respecto al futuro.

Edgar R. Fiedler,
economista estadounidense.

Como tardaba mucho en adaptarse a la vida, lo adaptaron.

Johann Georg Fischer (1816-1897),
escritor alemán.

Los hombres se ahorcan con los cabos sueltos de la vida.

Zelda Fitzgerald (1899-1948),
escritora estadounidense.

Vivimos en un mundo donde los hombres se visten con trajes ya confeccionados. Peor para ti si tienes demasiada talla.

Gustave Flaubert (1821-1881),
escritor francés.

Todos encontrarían su propia vida mucho más interesante si dejaran de compararla con la vida de los demás.

Henry Fonda (1905-1982),
actor estadounidense.

Si haces lo que no debes, deberás sufrir lo que no mereces.

Benjamin Franklin (1706-1790), político y científico estadounidense.

El mejor camino para salir es siempre a través.

Robert Lee Frost (1875-1963), poeta estadounidense.

Para mí, un cambio de discurso es como unas vacaciones.

David Lloyd George (1863-1945), político inglés, Primer Ministro 1916-1922.

Los mansos poseerán la tierra... pero no los derechos sobre los minerales.

Jean Paul Getty (1892-1976), industrial estadounidense.

No hacemos siempre lo que queremos. Afortunadamente.

E. Godin (1856-?), poeta y periodista francés.

Sobre las rosas se puede filosofar; tratándose de patatas hay que comer.

Johann Wolfgang Goethe (1749-1832), escritor alemán.

Soplar no es tocar la flauta; hay que saber mover los dedos.

Johann Wolfgang Goethe (1749-1832).

Si se pudiese aprovechar el aburrimiento, tendríamos el salto de agua con más millones de caballos de fuerza.

Ramón Gómez de la Serna (1888-1963),
escritor satírico español.

Solo dejan huellas las personas que han tenido peso en esta vida.

Juan H. González

Todos los hechos de la vida social y hasta los de los sentimientos pueden encasillarse en estas dos célebres palabras: oferta y demanda.

Rémy de Gourmont (1858-1914),
novelista francés.

Siempre he pensado que si te esforzabas lo suficiente y lo intentabas lo bastante, las cosas podrían salir bien. Estaba equivocada.

Katherine Graham (1917-2001),
editora de periódicos estadounidense.

Como los trenes, las buenas ideas llegan con retraso.

Giovanni Guareschi (1908-1968),
escritor italiano.

A veces estoy tan cansado que bostezo cuando duermo.

Sacha Guitry (1885-1957),
dramaturgo y actor ruso nacionalizado francés.

El que mete las narices en todo acaba por no saber dónde está el mal olor.

W. Güntersdorff, escritor alemán.

Cuando no llueve no salen las goteras y ahora que llueve no puedo salir a arreglarlas.

Robert A. Heinlein (1907-1988),
novelista de ciencia-ficción estadounidense.

No les iría mejor a los hombres si cosa que quieren cosa que obtienen.

Heráclito de Efeso (540?-475? a. de C.),
filósofo griego.

Dios provee a cada pájaro con alimento, pero no se lo hecha en el nido.

George Herbert (1593-1633), poeta galés.

No todo resbalón significa una caída.

George Herbert (1593-1633).

La memoria es como una red: uno la encuentra llena de peces al sacarla del arroyo, pero a través de ella pasaron cientos de kilómetros de agua sin dejar rastro.

Oliver Wendell Holmes (1809-1894),
escritor estadounidense.

El enano dispone de un medio excelente para ser mayor que un gigante: consiste en encaramarse a sus hombros.

Victor Hugo (1802-1885), escritor francés.

No es lo que perdiste lo que cuenta, sino lo que vas a hacer con lo que te quedó.

Hubert H. Humphrey (1911-1978), vicepresidente de Estados Unidos.

No se trata de cambiar de collar, sino de dejar de ser perro.

Arturo Jauretche.

No hace falta ser cocinero para poder criticar el guiso.

Samuel Johnson (1709-1784), escritor inglés.

La experiencia es algo maravilloso. Nos permite reconocer un error cada vez que lo volvemos a cometer.

Franklin P. Jones (1921-1990), escritor británico.

Para llegar donde no estamos tendremos que avanzar por donde no vamos.

San Juan de la Cruz [Juan de Yepes] (1542-1591), religioso y poeta español.

Todo lo que puede suceder sucede, pero solo puede suceder lo que sucede.

Franz Kafka (1883-1924), escritor checoslovaco.

Es importante mantener una mente abierta, pero no tanto que se te salgan los sesos.

Stephen A. Kallis junior.

El que quiera estar bien en este mundo, procure no dejarse engañar nunca, pero finja que se deja engañar siempre.

Alphonse Karr (1808-1890), novelista francés.

La mejor forma de predecir el futuro es inventárselo.

Alan Kay

Escrita en chino, la palabra «crisis» se compone de dos caracteres: uno significa «peligro»; el otro, «oportunidad».

John F. Kennedy (1917-1963),
estadista estadounidense.

Si haces algo como hace diez años, entonces existen muchas probabilidades de que lo hagas mal.

Charles F. Kettering (1876-1958),
industrial e ingeniero estadounidense.

Quisiera que al llegar a mi edad, se pudiese abandonar esta vida como se sale de un banquete.

Jean de La Fontaine (1621-1695),
novelista y fabulista francés.

De una herida, lo que importa es la cicatriz.

Jacques Lacan (1901-1981),
psicoanalista francés.

La frustración consiste en no poder echar la culpa a nadie más que a uno mismo.

Law Enforcement Bulletin

La experiencia es el peor maestro; nos somete a examen antes de explicar la lección.

Vernon Law.

Cuando el agua te llega al cuello, no te preocupes si no es potable.

Stanislaw Jerzy Lec (1909-1966), escritor polaco.

No puedo creer que me condecoren. Yo creía que para eso era necesario conducir tanques y ganar guerras.

John Lennon (1940-1980), cantante y compositor inglés, co-fundador de The Beatles.

Vive tu vida como te gustaría que tus hijos vivieran la suya.

Michael Levine.

No tienes lo que mereces, tienes lo que no puedes esquivar.

Ray Loriga (1967), escritor español.

¿Por qué no salir de esta vida como sale de un banquete el convidado harto?

Tito Lucrecio (h. 98-55 a. de C.), pensador romano.

El gozne que rechina es el que consigue el aceite.

Malcolm X [Malcolm Little] (1925-1965), activista político afro-americano.

Si sale, sale. Si no sale, hay que volver a empezar. Todo lo demás son fantasías.

Edouard Manet (1832-1883), pintor francés.

El secreto de la vida es la honestidad y el juego limpio... si puedes simular eso, lo has conseguido.

Groucho Marx (1895-1977), actor, humorista y escritor estadounidense.

Partiendo de la nada alcancé las más altas cimas de la miseria.

Groucho Marx (1895-1977).

¿Por qué debería preocuparme por la posteridad? ¿Qué ha hecho la posteridad por mí?

Groucho Marx (1895-1977).

La gente no busca razones para hacer lo que quiere hacer, busca excusas.

William Somerset Maugham (1874-1965), escritor inglés, nacido en Francia.

No siento el menor deseo de jugar en un mundo en el que todos hacen trampa.

François Mauriac (1885-1970), novelista francés.

Nada resiste tanto como lo provisional.

André Maurois (1885-1967), escritor francés.

Solo hay una verdad absoluta: que la verdad es relativa.

André Maurois (1885-1967).

Frustración: cuando se tiene en la mente mucho más de lo que cabe en ella.

Claude Comstock McDonald (1925).

Para todo problema humano hay siempre una solución fácil, clara, plausible y equivocada.

Henry-Louis Mencken (1880-1956),
escritor y editor estadounidense.

Un idealista es aquel que, al notar que una rosa huele mejor que una col, concluye que hará una sopa mejor.

Henry-Louis Mencken (1880-1956).

Vive de manera que puedas mirar fijamente a los ojos de cualquiera y mandarlo al diablo.

Henry-Louis Mencken (1880-1956).

Si un contemplativo se echa al agua, no probará a nadar, tratará primero de comprender el agua. Y se ahogará.

Henri Michaux (1899-1984), escritor belga.

No sé que es preferible: el mal que hace bien o el bien que hace mal.

Miguel Ángel Buonarroti (1475-1564),
artista y humanista italiano.

La experiencia es un billete de lotería comprado después del sorteo.

Gabriela Mistral (1889-1957),
poetisa chilena.

En la batalla de la existencia, el talento es el puñetazo; el tacto es el hábil juego de piernas.

Wilson Mizner (1876-1933),
escritor y aventurero estadounidense.

Un hombre recorre el mundo en busca de lo que necesita y vuelve a casa para encontrarlo.

George Moore (1852-1933), escritor británico.

Tú hazme nombrar primer ministro, y ya veras qué pronto me abro camino.

Alfred de Musset (1810-1857), poeta francés.

Todas las cosas llegan, le hacen a uno daño y se van.

Amado Nervo (1870-1919), escritor mexicano.

Aquel que tiene un «porqué» para vivir puede resistir casi cualquier «cómo».

Friedrich Nietzsche (1844-1900), filósofo alemán.

Solamente hay un derecho humano básico: el derecho a hacer lo que a uno le plazca. Y con él viene el único deber humano: cargar con las consecuencias.

P. J. O'Rourke, escritor estadounidense.

Algunas personas enfocan su vida de modo que vivan con entremeses y guarniciones. El plato principal nunca lo conocen.

José Ortega y Gasset (1883-1955),
filósofo y escritor español.

No sabemos lo que nos pasa y eso es lo que nos pasa.

José Ortega y Gasset (1883-1955), filósofo y escritor español.

Además, una cosa: no tengo inconveniente en meterme en camisa de once varas.

Nicanor Parra (1914), poeta chileno.

Si no actúas como piensas, vas a terminar pensando como actúas.

Blaise Pascal (1623-1662), científico, filósofo y escritor francés.

Todos los infortunios de los hombres provienen de no saber estarse tranquilos en sus casas.

Blaise Pascal (1623-1662).

Somos lo que somos porque fuimos lo que fuimos.

Arturo Pérez-Reverte (1951), escritor y periodista español.

Muchas veces el hombre consigue llegar a lo alto de la escalera, y entonces descubre que la había apoyado en la pared equivocada.

Laurence J. Peter (1919-1990), ensayista humorístico estadounidense.

Si usted no sabe a dónde va, probablemente acabará llegando a cualquier otro lugar.

Laurence J. Peter (1919-1990).

Cada hombre encuentra, finalmente, su Waterloo.

Wendell Phillips (1811-1884), reformador estadounidense.

Muchas cosas continúan como están aunque se supone que así no pueden continuar.

Helmut Qualtinger.

Abre el ojo, que asan carne.

Francisco de Quevedo (1580-1645), escritor español.

La ocasión tiene todos los pelos en la frente, cuando ha pasado, no podéis atraparla.

François Rabelais (1494-1553), escritor satírico francés.

El precio más alto que puede pagarse por cualquier cosa es pedirla por favor.

John Ray (1627-1705), sacerdote y naturalista inglés.

La experiencia es una cosa muy útil que no sirve para nada.

Jules Renard (1864-1910), escritor francés.

¡Voy a vivir para siempre, o morir en el intento!

Spider Robinson

En esta vida hay que ser solución, no problema.

Agustín Rodríguez Sahagún (1932-1991), político español.

Preferiría ser el hombre que compró el puente de Brooklyn que el hombre que lo vendió.

Will Rogers (1879-1935),
humorista estadounidense.

Todo resulta muy cómico, con tal que le ocurra a otro.

Will Rogers (1879-1935).

En la vida, solo hay dos partidos entre los que es preciso escoger: venderse o entregarse.

Antoine François Rondelet (1507-1566),
filósofo y economista francés.

Quedarse hasta el final del espectáculo no quita el derecho a criticarlo.

Jean Rostand (1893-1977),
biólogo y moralista francés.

Ser o no ser, esa es la respuesta.

Michael Rubinstein,
abogado británico.

Lo más difícil de aprender en la vida es qué puente hay que cruzar y qué puente hay que quemar.

David Syme Russell (1916).

¿Para qué repetir los errores antiguos habiendo tantos errores nuevos que cometer?

Bertrand Russell (1872-1970),
filósofo y matemático inglés.

He llegado a la conclusión, después de muchos años de tristes experiencias, de que uno no puede llegar a ninguna conclusión.

Vita Sackville-West (1892-1962), novelista y poetisa inglesa.

Dejemos las cosas en su sitio; no como estaban.

Alfonso Sastre (1926), escritor y dramaturgo español

Aquí estamos otra vez con ambos pies firmemente plantados en el aire.

Hugh Scanlon (1913-2004), sindicalista británico.

Muchas veces las cosas no se le dan al que las merece más, sino al que sabe pedirlas con insistencia.

Arthur Schopenhauer (1788-1860), filósofo alemán.

La mayor parte del tiempo la pasamos en pasatiempos.

Louis Philippe Segur l'Aine (1753-1830), escritor francés.

Todos somos autodidactas, pero solo los que triunfan lo reconocen.

Un senador estadounidense de Massachusetts.

Las improvisaciones son mejores cuando se preparan.

William Shakespeare (1564-1616), dramaturgo inglés.

Todos deberíamos comparecer en una oficina cada cinco años y justificar nuestra existencia... so pena de ser liquidados.

George Bernard Shaw (1856-1950), escritor irlandés.

La mejor salsa es el hambre.

Sócrates (470-399 a. de C.), filósofo griego.

La experiencia es un peine que te da la vida cuando ya te has quedado calvo.

Judith Stern.

Apoyaos sobre los principios; acabarán por ceder.

Jacques Sternberg

Hay tres cosas que siempre olvido. Nombres, caras... y la tercera no puedo recordarla.

Italo Svevo (1861-1928), novelista italiano.

Esperamos que pueda suceder cualquier cosa y nunca estamos preparados para nada.

Madame Swetchine (1782-1857), escritora francesa, de origen ruso.

El perrito faldero sospecha que todo el universo conspira para cogerle el sitio.

Rabindranath Tagore (1861-1941), filósofo y escritor hindú.

Servidor fiel, pero reservándome el derecho de mudar de amo.

Maurice Talleyrand-Perigord (1754-1838), político francés.

¿Por qué se ha de ser un conformista como todos los demás?

James G. Thurber (1894-1961), dibujante y escritor satírico estadounidense.

Nunca estás a salvo hasta que te encuentras dos metros bajo tierra.

Spencer Tracy (1900-1967), actor estadounidense.

Cumplamos la tarea de vivir de tal modo que cuando muramos, incluso el de la funeraria lo sienta.

Mark Twain (1835-1910), escritor y periodista estadounidense.

El cielo se gana con favores. Si fuera por méritos, usted se quedaría fuera y su perro entraría.

Mark Twain (1835-1910).

Es más fácil quedarse fuera que salir.

Mark Twain (1835-1910).

Es mejor merecer honores y no tenerlos que tenerlos y no merecerlos.

Mark Twain (1835-1910).

La experiencia solo nos enseña una cosa cada vez…, y en mi caso, ni eso.

Mark Twain (1835-1910).

Se puede andar con una pistola cargada; se puede andar con una pistola descargada; pero no se puede andar con una pistola que no se sabe si está cargada o descargada.

Mark Twain (1835-1910).

Algunos confunden una vida plena con una agenda llena.

Gerhard Uhlenbruck.

Quiero vivir tanto como sea válido mi pasaporte. Sería estúpido si estuviera muerto y mi pasaporte fuera aún válido.

Peter Ustinov (1921-2004),
escritor, actor y director inglés.

Estaba pensando que aprendemos por la experiencia, pero que algunos tenemos que ir a la escuela de verano.

Peter de Vries (1910-1993), escritor estadounidense.

No tengo tiempo para tener prisa.

John Wesley (1703-1791),
predicador inglés, fundador del metodismo.

Cuando tengo que escoger entre dos males, siempre elijo el que no he probado antes.

Mae West (1893-1981),
actriz cinematográfica estadounidense.

Errar es humano, pero sienta divino.

Mae West (1893-1981).

Generalmente evito la tentación a menos que no pueda resistirla.

Mae West (1893-1981).

A mí dadme lo superfluo, que lo necesario todo el mundo puede tenerlo.

Oscar Wilde (1854-1900), escritor irlandés.

La única diferencia que hay entre un capricho y una pasión eterna es que el capricho... dura más tiempo.

Oscar Wilde (1854-1900).

Ser natural es la más difícil de las poses.

Oscar Wilde (1854-1900).

Un capricho se diferencia de una gran pasión en que el capricho dura toda la vida.

Oscar Wilde (1854-1900).

No puedes tenerlo todo… ¿dónde lo meterías?

Steve Wright

Estaba decidido a ganar, pero nadie respetó mis decisiones.

Pintada anónima.

La esperanza es lo último que se perdió.

Pintada anónima.

Si no eres parte de la solución, eres parte del problema.

Pintada anónima.

Dios da las nueces, pero no las parte.

Proverbio ruso.

Hombres hay como el dado, que asientan de cualquier lado.

Refrán español.

Adaptación: Proceso mediante el cual cicatriza la úlcera de estómago.

Anónima.

Bienaventurados nuestros imitadores, porque de ellos serán todos nuestros defectos.

Anónima.

Cuando uno cree haberse graduado ya de la escuela de la experiencia, alguien por ahí descubre un nuevo curso.

Anónima.

Hay que tener una gran fuerza de voluntad para, año tras año, ir haciendo lo que quieren los demás.

Anónima.

Nos gustaría vivir y morir como las brevas: caernos del árbol de la vida solo después de habernos puesto morados.

Anónima.

Que el Señor no nos deje caer en la tentación. Simplemente que nos indique dónde encontrarla.

Anónima.

Si la única herramienta que tenemos es un martillo, todos los problemas nos parecerán clavos.

Anónima.

La esquiva felicidad

Si quieres ser feliz, como me dices, ¡no analices, muchacho, no analices!

Joaquín María Bartrina (1850-1880), poeta español.

En la vida, lo más triste, no es ser del todo desgraciado, es que nos falte muy poco para ser felices y no podamos conseguirlo.

Jacinto Benavente (1866-1954), dramaturgo español.

No sé quién dijo que solo hay un día feliz en la vida, y no es ese día..., es la víspera.

Jacinto Benavente (1866-1954).

Existe un único procedimiento para ser feliz gracias al corazón y es no tenerlo.

Paul Bourget (1852-1935),
escritor y crítico francés.

Pasa con la felicidad como con los relojes, que los menos complicados son los que menos se estropean.

Nicholas Chamfort (1741-1794), escritor francés.

¿Me toma por un idiota?

Charles De Gaulle (1890-1970),
militar y estadista francés.
[Al preguntarle un periodista si era feliz.]

Estad seguros de que no fue cuando descubrió América, sino cuando estuvo a punto de descubrirla cuando Colón fue feliz.

Fiodor Dostoievski (1821-1881),
escritor ruso.

Tres condiciones se requieren para llegar a ser feliz: ser imbécil, ser egoísta y gozar de buena salud. Pero bien entendido, si os falta la primera condición todo está perdido.

Gustave Flaubert (1821-1881),
escritor francés.

Existen dos maneras de ser feliz en esta vida, una es hacerse el idiota y la otra serlo.

Enrique Jardiel Poncela (1901-1952),
escritor español.

Muchos buscan la felicidad como otros buscan el sombrero: lo llevan encima y no se dan cuenta.

Nikolaus Lenau (1802-1850),
poeta austriaco.

Hijo mío, la felicidad está hecha de pequeñas cosas: Un pequeño yate, una pequeña mansión, una pequeña fortuna...

Groucho Marx (1895-1977),
actor, humorista y escritor estadounidense.

El secreto de la dicha es encontrar una monotonía simpática.

Victor Sawdon Pritchett (1900-1997),
escritor inglés.

Adoro los placeres sencillos; son el último refugio de los hombres complicados.

Oscar Wilde (1854-1900),
escritor irlandés.

Felicidad: Agradable sensación que surge de la observación de la desgracia ajena.

Anónima

Suerte para la desgracia

Yo no creo en la suerte, solo creo en la desgracia.

Camilo José Cela (1916-2002), escritor español.

Nuestras desgracias son mucho más soportables que los comentarios que sobre ellas se hacen.

Charles Caleb Colton (1780-1832), poeta y ensayista inglés.

Más de un hombre hubiera sido peor si su fortuna hubiese sido mejor.

Benjamin Franklin (1706-1790), político y científico estadounidense.

Cuando los hombres no pueden jactarse de otra cosa, se jactan de sus desventuras.

Arturo Graf (1848-1913), escritor italiano, natural de Grecia.

Hay personas a las que no se puede contar ninguna desgracia sin que, enseguida, nos participen ellas otra semejante.

Christian Friedrich Hebbel (1813-1863), escritor alemán.

La distinción que encontramos en el infortunio es tan grande, que si le decimos a alguien: «¡Pero qué feliz es usted!», protesta, por lo general.

Friedrich Nietzsche (1844-1900), filósofo alemán.

El día en que las desgracias hayan aprendido el camino de tu casa, múdate.

Juan Manuel de Palacio (1831-1906),
poeta español.

La desgracia del género humano consiste en que el hombre es incapaz de quedarse quieto en una habitación.

Blaise Pascal (1623-1662),
científico, filósofo y escritor francés.

Nos consolamos con pequeñeces porque son menudencias las que nos afligen.

Blaise Pascal (1623-1662).

Los hombres desgraciados, como los que duermen mal, siempre se sienten orgullosos de ello.

Bertrand Russell (1872-1970),
filósofo y matemático inglés.

Las desgracias y los paraguas son fáciles de llevar cuando pertenecen a otros.

Anónima.

¿Medio llena o medio vacía?

El optimista proclama que vivimos en el mejor de los mundos posibles, y el pesimista teme que esto sea verdad.

James Branch Cabell (1879-1958), escritor estadounidense.

Un optimista es un conductor que cree que el espacio libre en el bordillo no tendrá una boca de riego al lado.

Changing Times.

He llegado a la conclusión de que el optimista piensa bien de todo excepto del pesimista, y que el pesimista piensa mal de todo, excepto de sí mismo.

Gilbert Keith Chesterton (1874-1936), escritor inglés.

Optimista es el que os mira a los ojos; pesimista el que os mira a los pies.

Gilbert Keith Chesterton (1874-1936).

Pesimista es quien se queja del ruido que hace una oportunidad cuando llama a la puerta.

Caroline El Dahr .

De todos los presagios siniestros, el más grave e infalible es el optimismo.

Emile Girardin (1806-1881), periodista francés.

Si no tuviera fe espiritual, sería un pesimista. Pero soy un optimista. He leído la última página de la Biblia. Todo está a punto de ir bien.

Billy Graham (1918-?),
predicador estadounidense.

Un optimista es un fulano que cree que lo que va a pasar tardará en pasar.

Elbert Hubbard (1856-1915),
periodista y escritor satírico estadounidense.

Siempre espero lo peor, y siempre resulta peor de lo que esperaba.

Henry James (1843-1916), escritor estadounidense.

Si vemos la luz al final del túnel es la luz del tren que llega.

Robert Traill Spence Lowell (1917-1977),
poeta estadounidense.

Un pesimista es un optimista bien informado.

Antonio Mingote (1916),
dibujante humorístico español.

El optimismo nunca facilitó un crédito bancario.

John Pierpont Morgan (1837-1913),
financiero estdounidense.

Un optimista es el que cree que todo tiene arreglo. Un pesimista es el que piensa lo mismo, pero sabe que nadie va a intentarlo.

Jaume Perich (1941), dibujante cómico español.

Un pesimista es un hombre que mira a ambos lados antes de cruzar una calle de dirección única.

Laurence J. Peter (1919-1990),
ensayista humorístico estadounidense.

Las cosas no son tan malas como parecen. Son peores.

Bill Press.

Soy optimista acerca del futuro del pesimismo.

Jean Rostand (1893-1977), biólogo
y moralista francés.

Un optimista puede ver una luz donde no hay ninguna, pero ¿por qué tiene que correr siempre el pesimista a apagarla?

Michel de Saint-Pierre.

La última definición de un optimista es uno que rellena su crucigrama con tinta.

Clement Shorter.

Pesimista: uno que, cuando tiene que elegir entre dos males, elige ambos.

Oscar Wilde (1854-1900), escritor irlandés.

No soy optimista, quiero ser optimista.

Emile Zola (1840-1902), novelista francés.

De no ser por el optimista, el pesimista no se enteraría de lo feliz que no ha llegado a ser.

Anónima.

Es un pesimista de los de verdad: mira un donut y solo ve el agujero.

Anónima.

Pensar con las piernas

Era un hombre valiente para los peligros y pusilánime para las molestias.

Pío Baroja (1872-1956),
escritor español.

No somos cobardes, sino que no hemos encontrado aún nuestro coraje.

Mario Benedetti (1920),
escritor uruguayo.

Cobarde: el que, en un apuro, piensa con las piernas.

Ambrose Bierce (1842-1914),
escritor y periodista estadounidense.

Un cobarde es una persona en la que el instinto de conservación aún funciona con normalidad.

Ambrose Bierce (1842-1914).

No es que el héroe sea más valiente que nadie, sino que lo es durante cinco minutos más.

Ralph Waldo Emerson (1803-1882),
político y pensador estadounidense.

Todo héroe acaba haciéndose pesado.

Ralph Waldo Emerson (1803-1882).

Muchos serían cobardes si tuvieran suficiente coraje.

Thomas Fuller (1609-1661), escritor inglés.

Se ha tomado por valientes a cobardes que temieron huir.

Thomas Fuller (1609-1661).

Si Dios quería que fuéramos valientes, ¿por qué nos dio piernas?

Marvin Kitman (1929), escritor estadounidense.

Un cobarde es un héroe con esposa, niños e hipoteca.

Marvin Kitman (1929).

Coraje es caminar desnudo por un poblado caníbal.

Leonard Louis Levinson (1905-1974), antologista estadounidense.

En esto de ser un héroe, lo principal es saber cuándo morir.

Will Rogers (1879-1935), humorista estadounidense.

No todos podemos ser héroes. Alguien tiene que quedarse a un lado aclamándolos al pasar.

Will Rogers (1879-1935).

Es usted valiente, ya lo sé; es una forma de ser estúpido.

George Bernard Shaw (1856-1950), escritor irlandés.

Poca gente es lo bastante valiente para reconocer que es cobarde.

Peter Ustinov (1921-2004), escritor, actor y director inglés.

Más vale que digan aquí huyó, que aquí murió.

Proverbio español.

Vale más ser cobarde un minuto que estar muerto el resto de la vida.

Proverbio irlandés.

RELOJ QUE MARCAS LAS HORAS

Hablamos de matar el tiempo como si no fuera el tiempo el que nos mata a nosotros.

Alphonse Allais (1855-1905), escritor francés.

La eternidad se hace muy pesada, sobre todo hacia el final.

Woody Allen (1935), cineasta, humorista y escritor estadounidense.

Cuando el reloj está dando las horas, no nos las da, ¡ay!, nos las está quitando.

José Bergamín (1895-1983), escritor español.

Se dice que el tiempo es un gran maestro; lo malo es que va matando a sus discípulos.

Héctor Berlioz (1803-1869), compositor francés.

El tiempo es el mejor autor; siempre encuentra un final perfecto.

Charles Chaplin (1889-1978), cineasta inglés, nacionalizado estadounidense.

Mi misión es matar el tiempo y la de este matarme a su vez. Se está bien entre asesinos.

Emile M. Cioran (1911-1995), ensayista rumano, nacionalizado francés.

Nunca pienso en el futuro. Llega demasiado pronto.

Albert Einstein (1879-1955), físico alemán nacionalizado suizo y luego estadounidense.

El futuro es algo que cada cual alcanza a un ritmo de sesenta minutos por hora, haga lo que haga y sea quien sea.

Clive Staples Lewis (1898-1963) escritor británico.

Nosotros matamos el tiempo, pero él nos entierra.

Joaquim María Machado de Assis (1837-1908), escritor brasileño.

Deberíamos utilizar el pasado como trampolín y no como sofá.

Harold MacMillan (1894-1986),
político y editor inglés.

El tiempo se va, el tiempo se va, señora; no el tiempo, sino nosotros nos vamos...

Pierre de Ronsard (1524-1585), poeta francés.

Malgasté el tiempo, ahora el tiempo me malgasta a mí.

William Shakespeare (1564-1616),
dramaturgo inglés.

El tiempo es el único crítico sin ambición.

John Steinbeck (1902-1968), escritor estadounidense.

No es el tiempo el que pasa. Pasamos nosotros.

Anónima.

MIRANDO HACIA EL INTERIOR

La vanidad se alimenta de un pan especial: el panegírico.

Evaristo Acevedo (1915-1997),
humorista y dibujante español.

No hay personas tan vacías como las que están llenas de sí.

Ruffier de Aimes

La última vez que lo vi bajaba caminando por el callejón de los Amantes cogido de su propia mano.

Fred Allen (1894-1956),
escritor estadounidense.

La gente me olvida... incluso mientras me están dando la mano.

Woody Allen (1935),
cineasta, humorista y escritor estadounidense.

Lo que tengo es una insatisfacción genética con respecto a todo.

Woody Allen (1935).

No soy un luchador: tengo malos reflejos. Una vez fui atropellado por un coche que se movía empujado por dos tipos.

Woody Allen (1935).

Realmente soy una persona tímida: los cuáqueros me dieron una paliza.

Woody Allen (1935).

Soy lo suficientemente feo y lo suficientemente bajo como para triunfar por mí mismo.

Woody Allen (1935).

Soy un imperfeccionista.

Woody Allen (1935).

El mundo sería perfecto si todos fueran como creen ser.

Siul Arcos.

No me merezco este premio, pero tengo artritis y tampoco me la merezco.

Jack Benny (1894-1974),
actor cómico y violinista estadounidense.

Al menos tengo la modestia de admitir que la carencia de modestia es uno de mis fracasos.

Héctor Berlioz (1803-1869),
compositor francés.

El primero y el último de nuestros amores es el amor propio.

Christian Bovee (1820-1862),
escritor estadounidense.

Me parezco al que llevaba el ladrillo consigo para mostrar al mundo cómo era su casa.

Bertolt Brecht (1898-1956),
poeta y dramaturgo alemán.

¡Cuántas calvas hay cubiertas con coronas!

Elizabeth Barret Browning (1806-1861),
poetisa inglesa.

Feliz el hombre que puede reírse de sí mismo. Nunca le faltará motivo de diversión.

Habib Burguiba (1903-2000),
político tunecino.

Egoísta: Filántropo que enseña con el ejemplo el mejor modo de andar por el mundo.

Calandrino.

Que el tiempo está tan necio e importuno que es menester honrarse cada uno.

Pedro Calderón de la Barca (1600-1681), dramaturgo español.

Prefiero que la gente pregunte por qué no hay una estatua mía, y no que pregunte por qué la hay.

Marco Porcio Catón "el Censor" (234-149 a. de C.), pensador y orador romano.

Uno tiene que saber hacer las tonterías que le impone su carácter.

Nicholas Chamfort (1741-1794), escritor francés.

Los hombres que creen realmente en sí mismos están todos en manicomios.

Gilbert Keith Chesterton (1874-1936), escritor inglés.

No quiero que nadie admire mis pantalones en un museo.

Fryderic Franciszek Chopin (1810-1849), pianista y compositor polaco.

A menudo me he tenido que comer mis palabras y he descubierto que eran una dieta equilibrada.

Winston Churchill (1874-1965).

El mundo es un estercolero y cada hombre es un gallo encaramado en él que canta: ¡quiquiriquí!

Noel Clarasó (1905-1985),
escritor español.

No doy malos ejemplos, pero los sigo.

Noel Clarasó (1905-1985).

El cementerio está lleno de gente que se consideraba imprescindible.

Georges Clemenceau (1841-1929),
médico y estadista francés.

Un egoísta es aquel sujeto que se empeña en hablarte de sí mismo cuando tú estás muriéndote de ganas por hablarle de ti.

Jean Cocteau (1889-1963), escritor francés.

No debemos nunca hablar ni bien ni mal de nosotros mismos; bien, porque no nos creerían, y mal, porque lo creerían demasiado fácilmente.

Confucio (551-479 a. de C.),
filósofo, legislador y estadista chino.

Hay algunos días en que creo que voy a morirme de una sobredosis de satisfacción.

Salvador Dalí (1904-1988), pintor español.

Mis fotografías no me hacen justicia. Se parecen a mí.

Phyllis Diller (1917),
cómica y escritora estadounidense.

No desespero de mí; aún puedo revelarme con mi epitafio.

Jean Dolent (1835-1909),
escritor y crítico francés.

Fui afortunado. Cuando Dios dejó caer el maná del cielo, yo tenía una cuchara.

Peter Drucker (1909-2005), escritor y
consultor de empresas austroestadounidense.

El ocio representará el problema más acuciante, pues es muy dudoso que el hombre se aguante a sí mismo.

Friedrich Dürrenmatt (1921-1990),
escritor suizo.

Se me debe saludar con el cráneo en la mano.

Manuel Fernández y González (1821-1888),
escritor español.

Soy como los cigarros: para encenderme hay que chupar fuerte.

Gustave Flaubert (1821-1881), escritor francés.

Muchísimas personas sobreestiman lo que no son y subestiman lo que son.

Malcolm Forbes (1919-1990),
empresario y escritor estadounidense.

El orgulloso detesta el orgullo... en los demás.

Benjamin Franklin (1706-1790),
político y científico estadounidense.

Me excuso de mi jactancia, pero la verdad es que una vez que se conocen mis cualidades, soy capaz de exhibir una humildad verdaderamente brillante.

Christopher Fry (1907-2005), dramaturgo inglés.

Quien se ama a sí mismo ama a un hombre malvado.

Thomas Fuller (1609-1661),
clérigo y escritor inglés.

No tienes ni idea de la baja opinión que tengo de mí mismo, ni de lo poco que la merezco.

William Schwenk Gilbert (1836-1911),
dramaturgo y libretista inglés.

La variedad de cicuta con la que Sócrates se envenenó se llamaba «conócete a ti mismo».

Oliverio Girondo (1891-1967), poeta argentino.

La timidez es como un traje mal hecho.

Ramón Gómez de la Serna (1888-1963),
escritor satírico español.

El hombre puede emborracharse de sí mismo, pero no puede alimentarse.

Ernest Hello (1828-1885), escritor francés.

Hay personas que se consolarían hasta del final del mundo, con tal de que ellas lo hubiesen anunciado.

Christian Friedrich Hebbel (1813-1863),
escritor alemán.

Te conocerás a ti mismo en cuanto empieces a descubrir en ti defectos que los demás no te han descubierto.

Christian Friedrich Hebbel (1813-1863), escritor alemán.

Aquel sabio de la antigüedad que inventó la máxima de «conócete a ti mismo», pudo haber añadido «...y no se lo cuentes a nadie».

H. F. Henrichs

La modestia sincera es un suicidio; siempre se toma al pie de la letra.

C. Alfred d'Houdetot (1799-1869), escritor francés.

Soy fácilmente influenciable. Comparada conmigo, una veleta es el Peñón de Gibraltar.

Franklin P. Jones (1921-2005), escritor británico.

En la lucha entre uno y el mundo, hay que estar de parte del mundo.

Franz Kafka (1883-1924), escritor checoslovaco.

Quien necesita medallas solo demuestra que no se las merece. Y quien se las merece, no las necesita.

Martin Kessel.

No soy del tipo de los que tienen úlceras. Soy de los que las provocan.

Edward Koch, político estadounidense, ex alcalde de Nueva York.

No me mezclo de buen grado en mis asuntos privados.

Karl Kraus (1874-1936),
escritor y filósofo austriaco.

La confesión de los pequeños defectos es, muchas veces, un deseo de dar a entender que no tenemos otros mayores.

François de La Rochefoucauld (1613-1680),
escritor moralista francés.

Amarse a sí mismo significa no tener que decir nunca que tienes una horrible jaqueca.

Ellie Laine.

Os creéis modesto... no os sabía tan orgulloso.

Duque de Levis (1755-1830),
escritor francés.

Amarse a uno mismo al menos tiene una ventaja: no hay muchos rivales.

Georg C. Lichtenberg (1742-1799),
escritor y científico alemán.

Si tuviera dos caras, ¿cree usted que usaría esta?

Abraham Lincoln (1809-1865),
estadista estadounidense.

Como igual que un buitre. Desgraciadamente, el parecido no acaba ahí.

Groucho Marx (1895-1977),
actor, humorista y escritor estadounidense.

Debo confesar que nací a una edad muy temprana.

Groucho Marx (1895-1977),
actor, humorista y escritor estadounidense.

Durante mis años formativos en el colchón, me entregué a profundas cavilaciones sobre el problema del insomnio. Al comprender que pronto no quedarían ovejas que contar para todos, intento el experimento de contar porciones de oveja en lugar del animal entero.

Groucho Marx (1895-1977).

No, Groucho no es mi nombre real. Lo estoy amaestrando para un amigo.

Groucho Marx (1895-1977).

Hay personas que no se apean jamás de su orgullo. Si deben pasar revista a sus culpas, la pasan a caballo.

Paul Masson (1882-1956), filósofo francés.

Sé tú mismo es el peor consejo que se le puede dar a ciertas personas.

Paul Masson (1882-1956).

Nunca he podido entender por qué nadie me entiende solo porque soy ininteligible.

Milton Mayer (1908-1986).

No seas tan humilde, no eres tan grande.

Golda Meir (1898-1978),
estadista israelí, de origen ruso.

Si se pudiera morir de vergüenza, yo ya no estaría vivo.

Miguel Ángel Buonarroti (1475-1564), artista y humanista italiano.

No hables tanto de tí mismo; ya ocurrirá cuando te vayas.

Wilson Mizner (1876-1933), escritor y aventurero estadounidense.

Es mi opinión, y yo también la comparto.

Henri Bonaventure Monnier (1805-1877), escritor y abogado francés.

En el más elevado trono del mundo, seguimos sentados sobre nuestro culo.

Michel de Montaigne (1533-1592), filósofo francés.

Haríamos un gran negocio comprando al hombre por lo que vale y vendiéndole por lo que él cree que vale.

Napoleón Bonaparte (1769-1821).

Un trono es solo un taburete de madera forrado de seda.

Napoleón Bonaparte (1769-1821).

Soy un hombre concienciado, cuando tiro piedras a las gaviotas no dejo a ninguna golondrina sin apedrear.

Ogden Nash (1902-1971), poeta humorístico estadounidense.

La humildad es como la ropa interior: indispensable, pero indecorosa cuando queda a la vista.

Helen Nielsen.

Cuanto más ascendí más fui seguido por un perro llamado «ego».

Friedrich Nietzsche (1844-1900), filósofo alemán.

Hay dos clases de egoístas. Los que lo admiten y el resto de nosotros.

Laurence J. Peter (1919-1990), ensayista humorístico estadounidense.

Con nuestro juicio sucede como con los relojes: nunca coinciden entre sí, pero cada uno confía en el suyo.

Alexander Pope (1688-1744), poeta inglés.

Un egoísta es un hombre que piensa que si él no hubiera nacido, la gente se preguntaría por qué.

Dan Post.

No te subestimes; siempre habrá otros que lo harán por ti.

Joseph Prescott.

La soberbia nunca baja de donde sube, pero siempre cae de donde subió.

Francisco de Quevedo (1580-1645), escritor español.

Me reservo el derecho de pensar de acuerdo con mis ideas actuales.

Santiago Ramón y Cajal (1852-1934),
médico e histólogo español.

Se necesita mucho orgullo para creerse obligado a ser modesto.

Charles Regismanset (1877-1937),
escritor francés.

¡Sé modesto! Es la clase de orgullo que molesta menos.

Jules Renard (1864-1910), escritor francés.

¡Si será modesto que se cree inferior a sí mismo!

Conde de Romanones (1863-1950),
político, abogado y escritor español.

El que dice bien de sí mismo murmura del mejor amigo que tiene.

Juan Rufo (1547-1620),
poeta español.

Dijo en la cumbre mi orgullo: «Pocos han llegado aquí». En esto pasó volando un insecto sobre mí.

Ventura Ruiz Aguilera (1820-1881),
erudito, escritor y político español.

Soy un idealista. No sé adónde voy, pero sí sé que estoy en mi camino.

Carl Sandburg (1878-1967),
poeta estadounidense, de ascendencia sueca.

¿Cómo hace la naturaleza para reunir en el hombre lo noble con lo innoble? Pone por medio a la vanidad.

J. C. Friedrich von Schiller (1759-1805),
escritor e historiador alemán.

Si alguna vez me atrapan los caníbales, espero que digan: «Nos hemos comido al doctor Schweitzer, y fue bueno hasta el fin...».

Albert Schweitzer (1875-1965),
filántropo y misionero protestante francés.

Mucha gente piensa más de dos o tres veces al año. Yo he conseguido toda una reputación internacional porque pienso una o dos veces a la semana.

George Bernard Shaw (1856-1950),
escritor irlandés.

No puedo envidiar a nadie. Me lo impide la lástima que puedo llegar a sentir por todos los que no son George Bernard Shaw.

George Bernard Shaw (1856-1950).

Soy polifacético, porque todo lo hago mal.

Ricardo Solfa [Jaume Sisa] (1948),
cantante español.

La humildad es hacer una correcta estimación de uno mismo.

Charles Haddon Spurgeon (1834-1892),
predicador baptista inglés.

Soy extraordinariamente paciente, siempre y cuando al final consiga salirme con la mía.

Margaret Thatcher (1925),
estadista inglesa.

Alguien me está aburriendo. Creo que soy yo mismo.

Dylan Thomas (1914-1953), escritor galés.

Es tan difícil verse uno mismo, como mirar para atrás sin volverse.

Henry David Thoreau (1817-1862),
escritor estadounidense.

Todos piensan en cambiar el mundo, pero nadie piensa en cambiarse a sí mismo.

Alexei Tolstói (1882-1945),
escritor ruso.

Solo con que tuviera un poco de humildad sería perfecto.

Ted Turner (1938),
magnate de los medios de comunicación estadounidense

Nací modesto... pero no me duró.

Mark Twain (1835-1910),
escritor y periodista estadounidense.

Hablo mucho de mí, porque soy el hombre que tengo más a mano.

Miguel de Unamuno (1864-1936),
filósofo y escritor español.

Hay que entrar en uno mismo armado hasta los dientes.

Paul Valéry (1871-1945),
poeta francés.

En el teatro de la vida, el apuntador se llama muchas veces egoísmo.

G. M. Valtour (siglo XIX),
escritor francés.

El amor propio, al igual que el mecanismo de reproducción del género humano, es necesario, nos causa placer y debemos ocultarlo.

Voltaire [François Marie Arouet] (1694-1778),
filósofo francés.

Si mi vida ha sido un entrenamiento para ser un idiota, quizás al final tenga éxito.

Max Wall (1908-1990),
actor y bailarín británico.

No puedo decirte si la genialidad es hereditaria porque el cielo no me ha concedido ningún descendiente.

James McNeill Whistler (1834-1903),
pintor y escritor estadounidense.

¿Qué me contradigo? Pues bien, me contradigo. Soy amplio. Contengo muchedumbres.

Walt Whitman (1819-1892),
poeta estadounidense.

Amarse a sí mismo es el comienzo de una aventura que dura toda la vida.

Oscar Wilde (1854-1900), escritor irlandés.

Como mala persona soy un completo desastre. Hay mucha gente que afirma que no he hecho nada malo en toda mi vida. Por supuesto solo se atreven a decirlo a mis espaldas.

Oscar Wilde (1854-1900).

Cuando me da por pensar de noche en mis defectos, me quedo dormido inmediatamente.

Oscar Wilde (1854-1900).

Debemos ser modestos recordando que los demás son inferiores a nosotros.

Oscar Wilde (1854-1900).

Jamás viajo sin mi diario. Siempre debería llevarse algo estupendo para leer en el tren.

Oscar Wilde (1854-1900).

Mis deseos son órdenes para mí.

Oscar Wilde (1854-1900).

No tengo nada que declarar, excepto mi genio.

Oscar Wilde (1854-1900).
[A un oficial de inmigración a su llegada a Nueva York.]

No voy a dejar de hablarle solo porque no me esté escuchando. Me gusta escucharme a mí mismo. Es uno de mis mayores placeres. A menudo mantengo largas conversaciones conmigo mismo, y soy tan inteligente que a veces no entiendo ni una palabra de lo que digo.

Oscar Wilde (1854-1900).

Todas las cosas que realmente me gustaría hacer son inmorales, ilegales o engordan.

Alexander Woollcott (1887-1943), periodista, crítico y escritor estadounidense.

Mi complejo de superioridad es mejor que el tuyo.

Pintada anónima.

Quiero ser lo que era cuando quería ser lo que ahora soy.

Pintada anónima.

Conciencia: voz interior que nos advierte de que alguien nos está mirando.

Anónima.

Daría mi mano derecha por ser ambidiestro.

Anónima.

ALGUNOS CONSEJOS PRÁCTICOS PARA LA VIDA

Nada viaja más rápido que la luz, excepto las malas noticias.

Douglas Adams (1952-2001),
humorista británico.

Odio la realidad, pero es en el único sitio donde se puede comer un buen filete.

Woody Allen (1935),
cineasta, humorista y escritor estadounidense.

Si no puedes imitarle, no le copies.

Yogi Berra [Lawrence Peter] (1925),
jugador y entrenador de béisbol estadounidense.

A veces se guarda algo durante diez años y se tira una semana antes de necesitarlo.

Aldo Cammarota.

Antes de negar con la cabeza, asegúrate de que la tienes.

Truman Capote (1925-1984),
novelista estadounidense.

Habiendo llegado hasta aquí, necesitas correr todo lo que puedas para permanecer en el mismo lugar.

Lewis Carrol (1832-1898),
religioso, matemático y escritor inglés.

Cuando una puerta se cierra, no pongas los dedos.

Noel Clarasó (1905-1985),
escritor español.

Le hacían esta pregunta: «¿Qué se llevaría de su casa, si se estuviera quemando?». Y contestó: «Me llevaría el fuego».

Jean Cocteau (1889-1963),
escritor francés.

Es fácil reconocer si el hombre tiene gusto: la alfombra debe combinar con las cejas.

Salvador Dalí (1904-1988),
pintor español.

No guardes nunca en la cabeza aquello que te quepa en un bolsillo.

Albert Einstein (1879-1955), físico alemán
nacionalizado suizo y luego estadounidense.

Si buscas resultados distintos, no hagas siempre lo mismo.

Albert Einstein (1879-1955).

Siempre leo la última página de los libros no sea que me muera antes de acabarlos y me quede sin saber como terminan.

Nora Ephron (1941), escritora estadounidense.

No se deberían poner caras largas, por lo menos para no tener más superficie que afeitar.

Fernandel (1903-1971), actor cómico francés.

Si intentan meterme prisa, siempre digo: «Solamente tengo otra velocidad, y es más lenta».

Glenn Ford (1916-2006),
actor estadounidense de origen canadiense.

Tres mudanzas equivalen a un incendio.

Benjamin Franklin (1706-1790),
político y científico estadounidense.

Lo que no pué ser, no pué ser, y además es imposible.

El Gallo [Rafael Gómez Ortega] (1882-1960),
torero español.

Debes coger el toro por los dientes.

Samuel Goldwyn (1882-1974),
productor de cine estadounidense.

En dos palabras: im posible.

Samuel Goldwyn (1882-1974).

El mejor carpintero no es el que saca más virutas.

Arthur Guiterman (1871-1943), poeta y
periodista estadounidense.

Quédate siempre detrás del hombre que dispara y delante del hombre que está cagando. Así estás a salvo de las balas y de la mierda.

Ernest Hemingway (1898-1961),
novelista estadounidense.

El derecho a ser oído no incluye el derecho a ser tomado en serio.

Hubert H. Humphrey (1911-1978),
vicepresidente de Estados Unidos.

Describe un círculo, acarícialo después y se convertirá en un círculo vicioso.

Eugène Ionesco (1912-1976),
escritor rumano, nacionalizado francés.

De acuerdo con las leyes de la grafología, para tener un carácter sereno, ecuánime y ordenado lo mejor es escribir siempre a máquina.

Enrique Jardiel Poncela (1901-1952),
escritor español.

Siempre habrá esquimales que confeccionen para los habitantes del Congo reglas de comportamiento en las épocas de grandes calores.

Stanislaw Jerzy Lec (1909-1966),
escritor polaco.

Las piernas de un hombre deben ser lo suficientemente largas para llegar al suelo.

Abraham Lincoln (1809-1865),
estadista estadounidense.

No me puedo ir a dormir sin antes haberme acostado.

Groucho Marx (1895-1977),
actor, humorista y escritor estadounidense.

O este hombre está muerto o mi reloj se ha parado.

Groucho Marx (1895-1977),
actor, humorista y escritor estadounidense.
[Según el guión de Robert Pirosh y George Seaton,
Un día en las carreras, 1937]

Por experiencia propia, recomiendo encarecidamente a cualquier persona que sea rica, inteligente y divertida.

Groucho Marx (1895-1977).

—Si nos encuentran, estamos perdidos.
—¿Cómo vamos a estar perdidos si nos encuentran?

Groucho Marx (1895-1977).

Todo el mundo debe creer en algo, yo creo que me tomaré otra copa.

Groucho Marx (1895-1977).

Que poco cuesta construir castillos en el aire y que cara es su destrucción.

François Mauriac (1885-1970),
novelista francés.

La cantidad de sueño requerida por la persona media es cinco minutos más.

Wilson Mizner (1876-1933),
escritor y aventurero estadounidense.

Para salir del círculo vicioso se recomienda el acto gratuito.

Nicanor Parra (1914),
poeta chileno.

Hay un cincuenta por ciento de probabilidades de todo, porque o pasará o no pasará.

Hank Phillipi.

Nunca es demasiado tarde para poner el reloj en hora.

Ernesto S. Pombo.

Cuando llegues al final de la cuerda, haz un nudo y cuélgate.

Franklin Delano Roosevelt (1882-1962),
estadista estadounidense.

Si guardas algo durante siete años, seguro que le encuentras alguna utilidad.

Walter Scott (1771-1832),
escritor escocés.

Ninguna pregunta es tan difícil de responder como aquella cuya respuesta es obvia.

George Bernard Shaw (1856-1950),
escritor irlandés.

¡Cabezahuevos, uníos! No tenéis nada que perder salvo vuestras yemas.

Adlaï Ewing Stevenson (1900-1965),
abogado y político estadounidense.

Desconfía de cualquier empresa que requiera nuevos vestidos.

Henry David Thoreau (1817-1862),
escritor estadounidense.

Si ha hecho castillos en el aire, no ha perdido el tiempo; allí es donde deben estar. Ahora, póngales cimientos.

Henry David Thoreau (1817-1862).

Nunca pierdas una oportunidad de practicar sexo o de aparecer en televisión.

Gore Vidal (1925), escritor estadounidense.

La línea recta es el camino más corto entre dos puntos, pero no el más atractivo.

Mae West (1893-1981),
actriz cinematográfica estadounidense.

Matar es una estupidez. Nunca debe hacerse nada de lo que no se pueda hablar en la sobremesa.

Oscar Wilde (1854-1900),
escritor irlandés.

Me gusta contemplar a los hombres geniales y escuchar a las mujeres hermosas.

Oscar Wilde (1854-1900).

Cuando todo lo demás falla, lee las instrucciones.

Anónima.

Las ventajas del nudismo saltan a la vista.

Anónima.

No te hagas nunca el harakiri después de comer; se te podría cortar la digestión.

Anónima.

La Muerte

Al final, todos calvos

¿De dónde venimos? ¿A dónde vamos? ¿Hay posibilidad de tarifa de grupo?

Woody Allen (1935),
cineasta, humorista y escritor estadounidense.

Es imposible experimentar objetivamente la propia muerte y seguir dando el tono.

Woody Allen (1935).

La muerte de Freud, según Ernest Jones, fue el incidente que causó la ruptura definitiva entre Hemholtz y Freud, prueba de ello es que en muy contadas ocasiones volvieron a dirigirse la palabra.

Woody Allen (1935).

No es que tema morirme. Es tan solo que no quiero estar allí cuando suceda.

Woody Allen (1935).

Sigo preguntándome si existe vida más allá de la muerte. Y si la hay, ¿le cambiarán a uno un billete de veinte pavos?

Woody Allen (1935).

¡Dios haya recibido su alma! A Dios, después de todo, le será más útil que a nosotros.

Jean Anouilh (1910-1987),
dramaturgo francés.

Cadáver: Producto terminado del que somos la materia prima.

Ambrose Bierce (1842-1914),
escritor y periodista estadounidense.

Epitafio: Inscripción sobre un sepulcro que prueba que las virtudes adquiridas con la muerte tienen efecto retroactivo.

Ambrose Bierce (1842-1914).

Las tapias que se ponen alrededor de los cementerios son una insensatez, porque los que están dentro no pueden salir y los que están fuera no quieren entrar.

Arthur Brisbane (1864-1936),
periodista y escritor estadounidense.

En las lápidas de mucha gente debería leerse: «Muerto a los treinta. Enterrado a los sesenta».

Nicholas M. Butler (1862-1947), pedagogo y
sociólogo estadounidense.

Confieso que enterrar a algunas personas constituye un gran placer.

Anton Chéjov (1860-1904),
escritor ruso.

Lo único que deseo para mi entierro es no ser enterrado vivo.

Lord Chesterfield (1694-1773), estadista y diplomático inglés.

A veces se leen artículos necrológicos tan elogiosos, que a uno le dan ganas de morirse.

Noel Clarasó (1905-1985), escritor español.

Si fuera verdad lo que dicen los epitafios, llegaríamos a la conclusión de que jamás ha muerto una mala persona.

Noel Clarasó (1905-1985).

Según se deduce de los discursos necrológicos, la humanidad es un dechado de virtudes.

Clarín Porteño.

La muerte es una formalidad desagradable, mas todos los candidatos son admitidos.

Paul Claudel (1868-1955), poeta francés.

Cuando uno se muere es, en general, para mucho tiempo.

León Daudí (1905-1985), escritor español.

Tales decía que no existía diferencia entre la vida y la muerte. «¿Por qué no mueres entonces?», le preguntaron. «Porque no hay diferencia alguna», repuso.

Diógenes Laercio (siglo III a. de C.), escritor griego.

Cuando hemos muerto, todos los días son domingos.

Jean Dolent (1835-1909),
escritor y crítico francés.

Siempre son los demás los que se mueren.

Marcel Duchamp (1887-1968),
pintor francés.

El hombre nace sin dientes, sin cabello y sin ilusiones, y muere lo mismo; sin dientes, sin cabello y sin ilusiones.

Alejandro Dumas (1803-1870),
escritor francés.

Tal vez no nacimos iguales, pero es seguro que moriremos iguales.

Jimmie Durante (1893-1980),
actor estadounidense.

La muerte es una quimera: porque mientras yo existo, no existe la muerte; y cuando existe la muerte, ya no existo yo.

Epicuro de Samos (341-270 a. de C.),
filósofo griego.

Solo deberíamos llorar la muerte de los hombres felices; o sea, muy pocas muertes.

Gustave Flaubert (1821-1881),
escritor francés.

No es lo peor morirse, lo angustioso es que después no puedes hacer nada, ni dar cuerda al reloj, ni despeinarte, ni ordenar los papeles...

Gloria Fuertes (1918-1998), escritora española.

La muerte es hereditaria.

Ramón Gómez de la Serna (1888-1963), escritor satírico español.

Lo único que está mal de la muerte es que nuestro esqueleto pueda confundirse con otro.

Ramón Gómez de la Serna (1888-1963).

Parece que ya hoy no hay muertos, solamente entierros.

Ramón Gómez de la Serna (1888-1963).

Morir joven... ¡Lo más tarde posible!

Pernette de Guillet (1520-1545), poetisa francesa.

Me anuncian la muerte de uno cuya presencia no me entusiasmaba y pienso: yo no pedía tanto.

Sacha Guitry (1885-1957), dramaturgo y actor ruso, nacionalizado francés.

La única gente completamente coherente son los muertos.

Aldous Huxley (1894-1963), escritor inglés.

La costumbre más arraigada entre los vivos es morirse; la costumbre más arraigada entre los muerto es quedarse en los huesos.

Enrique Jardiel Poncela (1901-1952), escritor español.

La muerte tiene una sola cosa agradable: las viudas.

Enrique Jardiel Poncela (1901-1952).

Los muertos son gente fría y muy estirada.

Enrique Jardiel Poncela (1901-1952).

Los muertos, por mal que lo hayan hecho, siempre salen a hombros.

Enrique Jardiel Poncela (1901-1952).

Para encontrar gusto a la vida, no hay como morirse.

Enrique Jardiel Poncela (1901-1952).

Si queréis los mayores elogios, moríos.

Enrique Jardiel Poncela (1901-1952).

¿En qué consiste el recuerdo de los hombres? En una hora de trabajo para el marmolista.

Alphonse Karr (1808-1890), novelista francés.

Que haya muerto no es prueba suficiente de que haya vivido.

Stanislaw Jerzy Lec (1909-1966), escritor polaco.

Los que viven son muertos de vacaciones.

Maurice Maeterlinck (1862-1949),
escritor belga.

Cuando muera quiero que me incineren y que el diez por ciento de mis cenizas sean vertidas sobre mi empresario.

Groucho Marx (1895-1977),
actor, humorista y escritor estadounidense.

La muerte es el remedio de todos los males; pero no debemos echar mano de este hasta última hora.

Molière [Jean Baptiste Poquelin] (1622-1673),
dramaturgo francés.

Solo se muere una vez. ¡Pero es por mucho tiempo!

Molière [Jean Baptiste Poquelin] (1622-1673).

Cuando alguien se muere deja un espejo huérfano.

Senén Guillermo Molleda,
epigramista español contemporáneo.

Cuando la muerte ha igualado las fortunas, las pompas fúnebres no deberían diferenciarlas.

Barón de Montesquieu (1689-1755),
filósofo francés.

¿Morir yo, querido doctor? ¡Será la última cosa que haga!

Lord Palmerston (1784-1865), estadista inglés.

Epitafio: Un breve poema sarcástico.

John Garland Pollard

La muerte está tan segura de ganar que nos da toda una vida de ventaja.

Francisco de Quevedo (1580-1645), escritor español.

¡Le creía a usted muerto! Bueno, otra vez será.

Jules Renard (1864-1910), escritor francés.

La muerte no es la última calamidad de la vida sino la penúltima. La última es una mala nota necrológica.

Rafael Salas Pérez (1900-1995),pintor ecuatoriano.

Puesto que tenemos que hablar bien de los muertos, ataquémoslos mientras están vivos.

John Sloan.

Cuando muera, voy a dejar mi cuerpo a la ciencia ficción.

Steve Wright.

Una vez terminado el juego el rey y el peón vuelven a la misma caja.

Proverbio italiano .

Cuando los calvos mueren, la nostalgia los convierte en cabezas rizadas.

Proverbio oriental.

Nada falta en los funerales de los ricos, salvo alguien que sienta su muerte.

Proverbio oriental.

¿Hay vida antes de la muerte?

Anónima.

He oído hablar tan bien de ti que creía que habías muerto.

Anónima.

Lo triste no es ir al cementerio, sino quedarse.

Anónima.

Bajarse en marcha

He pensado en suicidarme pero creo que no lo necesito. En cualquier momento el tiempo me suicida.

Jorge Luis Borges (1899-1986), escritor argentino.

En tu total fracaso de vivir, ni el tiro final te va a salir.

Catulo Castillo

Algunos hombres, para recordar, se atan un hilo alrededor del dedo; y otros, para olvidar, se atan una cuerda alrededor del cuello.

Noel Clarasó (1905-1985), escritor español.

Hay muchos que no se atreven a quitarse la vida por miedo a lo que puedan decir los vecinos.

Cyrill Connolly (1903-1974),
ensayista, novelista y crítico inglés.

Está prohibido abandonar su puesto sin que lo ordene el que manda. El puesto del hombre es la vida.

Denis Diderot (1713-1784),
filósofo y escritor francés.

Casi todo el mundo se suicidaría si después del suicidio pudiera seguir viviendo.

Enrique Jardiel Poncela (1901-1952),
escritor español.

El suicidio es la exasperación de la impaciencia.

Enrique Jardiel Poncela (1901-1952).

Suicidarse es subirse en marcha a un coche fúnebre.

Enrique Jardiel Poncela (1901-1952).

El suicidio causa una aceptación tardía en la opinión de los parientes de la mujer de uno.

Henry-Louis Mencken (1880-1956),
escritor y editor estadounidense.

El suicidio es una bancarrota fraudulenta.

Pierre-Joseph Proudhon (1809-1865),
pensador socialista francés.

Cuánta gente ha querido suicidarse y se contentó con romper su fotografía.

Jules Renard (1864-1910),
escritor francés.

¡Estas ganas de suicidarme me están matando!

Anónima.

MÁS ALLÁ DE LA MUERTE

No quiero conseguir la inmortalidad con mi trabajo... Quiero obtenerla gracias a no morir.

Woody Allen (1935),
cineasta, humorista y escritor estadounidense.

Yo no creo en la otra vida, pero no obstante siempre llevo una muda.

Woody Allen (1935).

Millones de seres suspiran por la inmortalidad... y no saben qué hacer una tarde de domingo lluvioso.

Robert Benchley (1889-1945),
humorista estadounidense.

Lo malo de la inmortalidad es que hay que morir para alcanzarla.

Victor Hugo (1802-1885),
escritor francés.

El primer requisito de la inmortalidad es la muerte.

Stanislaw Jerzy Lec (1909-1966),
escritor polaco.

El hecho de haber nacido es un mal augurio para la inmortalidad.

George Santayana (1863-1952),
filósofo estadounidense.

Índice de los Principales Autores

Otros títulos de la Colección

nowtilus

1001 citas y frases ingeniosas sobre...

EL HOMBRE Y LA MUJER

Las frases más brillantes y las mejores citas del pensamiento universal, reunidas para servir de reflexión, entretenimiento y fuente inagotable de inteligente inspiración.

GREGORIO DOVAL

nowtilus

1001 citas y frases ingeniosas sobre... EL AMOR, EL SEXO Y EL MATRIMONIO

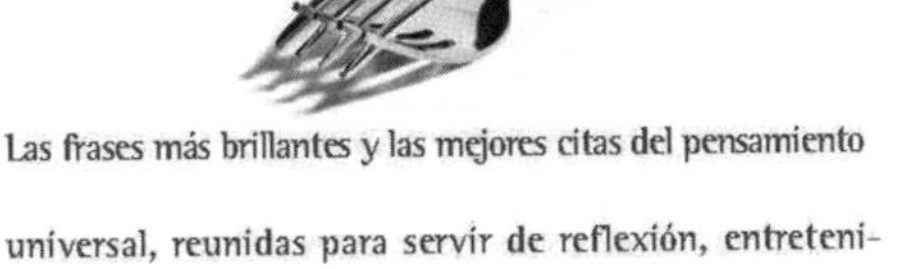

Las frases más brillantes y las mejores citas del pensamiento universal, reunidas para servir de reflexión, entretenimiento y fuente inagotable de inteligente inspiración.

GREGORIO DOVAL

nowtilus

1001 citas y frases ingeniosas sobre...

LA FAMILIA Y LOS AMIGOS

Las frases más brillantes y las mejores citas del pensamiento universal, reunidas para servir de reflexión, entretenimiento y fuente inagotable de inteligente inspiración.

GREGORIO DOVAL

nowtilus

1001 citas y frases ingeniosas sobre...

PROFESIONES Y PROFESIONALES

Las frases más brillantes y las mejores citas del pensamiento universal, reunidas para servir de reflexión, entretenimiento y fuente inagotable de inteligente inspiración.

GREGORIO DOVAL

nowtilus

1001 citas y frases ingeniosas sobre...

EL TRABAJO Y EL DINERO

Las frases más brillantes y las mejores citas del pensamiento universal, reunidas para servir de reflexión, entretenimiento y fuente inagotable de inteligente inspiración.

GREGORIO DOVAL